Traité de psychiatrie sociale

Louise Courteau, éditrice inc.

Design de la couverture: **Michel Guilbeault**

Dépôt légal
dernier trimestre 1986

BIBLIOTHÈQUE NATIONALE DU QUÉBEC
BIBLIOTHÈQUE NATIONALE DU CANADA

ISBN: 2-89239-040-0

DANIEL BÉLEC / CLAUDE GENDREAU

Traité de psychiatrie sociale

Une réflexion québécoise

éditrice
Montréal Qc Canada

SURVOL DU CONTENU

Le présent manuel peut s'inscrire de façon générale dans la perspective de compréhension des sytèmes. À l'adage connu sur la permanence de la matière: « Rien ne se perd, rien ne se crée », il développe la thématique de la fluidité humaine où «tout ce qui se crée doit se perdre». L'équilibre de l'écosystème humain est lié à une dynamique où, de façon structurelle, l'immense majorité des mouvements se génère une gestalt de stabilité ou permanence à travers la fluidité des configurations paradoxales.

Pour ce faire, nous développerons une série de concepts dont le «focus» est centré sur l'esprit humain dans des perspectives dichotomiques: individualité et socialité, affectif et cognitif, similarité et différence, concrétude et symbolisme... Ce processus dialectique permettra un éclairage à tendance holistique sur les aménagements dits de normalité et de pathologie au niveau de la pensée et des comportements humains.

Le premier de ces concepts, la dialectique fusion-individuation, est issu de notre réflexion commune (Daniel Bélec et Claude Gendreau) lors d'une pratique clinique (75-79, Montréal) où psychiatre et sociologue ont à se rejoindre dans un même discours (avec une équipe multidisciplinaire). Ce concept insère la dimension moïque comme équivalent fusionnel à d'autres types de médiatisations entre le réel et l'affect tels la religion, les collectifs, la créativité...

L'idée de diffusion affective qui y est contingente constitue la première amorce à la notion de la circulation de la maladie dans un réseau: le point de déséquilibre du système et le «porteur» du symptôme. Socialité et affect originels composent avec la détermination cognitive et corporelle pour créer une dynamique pulsative d'équilibre où la normalité est justement cet équilibre et non strictement la capacité individuelle ou la détermination sociale.

En pathologie, la psychose c'est le déficit fusionnel fondamental. L'intensité fusionnelle doit générer une forme individualisée qui, en contre-partie, ne pourra avoir d'autre mobilisation qu'une quête d'un équivalent fusionnel. Les changements sociaux ont la même dynamique. Cultures et civilisations en sont tributaires. La socialité précède l'individuation. La socialisation la suit. L'accès à la fusion, c'est l'éprouvé de l'intensité mimétique, le senti de l'investissement de la capacité.

Le second concept développé est donc celui de la pulsion mimétique. L'idée de base est tirée des volumes de René Girard. Ces écrits discutés à maintes reprises en 80-81 avec un ami psychologue (Pierre Cousineau) amènera à favoriser l'émergence de la nuance énergétique de la mimésis, soit le processus d'intensité. Quelques uns, à certains égards, y retrouveront une analogie avec pulsion d'objet en psychanalyse.

L'intensité mimétique fondera l'accès à la connaissance et à la socialité. Sa sujétion situera les normes du désir et de l'identification. L'Œepide sera réinterprété en faveur de ce dernier processus, celui d'une reduplication fondamentale. Cette mimésis qui fonde la socialité devra aménager la différence pour générer la socialisation. C'est à travers le champ polarisé que s'installe la différence, différence en fluidité paradoxale qui servira l'identité et qui, en même temps, replacée dans sa globalité relationnelle, ne sera que le décalque de sa mimésis.

L'espace ou champ polarisé constituera donc le troisième concept. Compris dans son versant métaspychologique, il est l'analogue cognitif de la fusion-individuation (aspect affectif). Cette notion de polarité commence à être utilisée à différents endroits, avec des définitions diverses, particulièrement en Amérique du Nord. Elle se rattache facilement à la théorie des systèmes. On en retrouve des connotations dans les travaux sur la communications (Palo Alto, Watzlawick...) et dans plusieurs types d'interventions familiales (notamment américaines). L'articulation qu'on lui donnera ici s'étayera à partir du concept d'unité bipolaire structurale de Roman Jacobson (linguistique). La réflexion qui s'est faite à ce sujet s'échelonne de 81 à 85 en interaction à un module d'interventions familiales et infantiles à Drummondville (participation multidisciplinaire) et à l'équipe psychosociale du C.L.S.C. St-Hubert.

L'espace polarisé, de par son inférence à l'identité, apporte une compréhension qui spécifie la schizophrénie en regard de la psychose. Il réintègre le processus d'identité à celui, plus fondamental, de l'appartenance et de la mimésis. Il resitue la position dépressive dans une mouvance d'adaptation et non de strict déficit. Intériorisation, amour et intensité collective se véhiculent comme des aménagements d'équilibre.

L'espace polarisé, c'est aussi le lieu de la clinique relationnelle, donc celui du couple. Il intègre le consensus de similarité et d'attachement à un contrat paradoxal de différence et de complémentarité. Réciprocité, reduplication, réversibilité... sont tour à tour approchées, nuancées, intégrées en diverses facettes. Le décalage dimensionnel du rôle et de la position est situé dans l'écodynamique de la relation et dans son inférence à une intégration sociale plus vaste.

Le quatrième concept (processus dialectique) concerne l'aménagement de la concrétude et de la capacité symbolique. La réflexion élaborée à ce sujet s'est surtout faite de 80 à 85 alors que j'étais chargé d'enseignement clinique (Université de Sherbrooke) auprès de résidents en médecine familiale. La littérature d'appoint est évidemment celle de tout le questionnement en psychosomatique (en particulier, l'apport français). Le décalage des niveaux symboliques dans la structuration mentale, le rapport de la concrétude à l'imprégnation corporelle, l'impact de l'interaction de systèmes physiologiques dans la liaison du soma à l'accès symbolique, le dynamisme de la croissance et du vieillissement dans la créativité, l'évolution de l'espace polarisé, la structure même de la relation et du couple, telles sont les thèmes qui sont abordés de façon encore embryonnaire dans les derniers textes (ceux de 85).

Ce manuel qui situe un ensemble de concepts de base dans une perspective de psychiatrie sociale est aussi une ouverture, une recherche, un outil de questionnement sur l'homme. Il s'ajoute à d'autres vérités, d'autres compréhensions. De par sa nouveauté (au sens relatif d'idées qui foisonnent à notre époque), il reste un univers en friche susceptible de développements beaucoup plus considérables que ceux qui y sont maintenant abordés. L'impact recherché est de rapprocher l'individu de son appartenance et de sa socialité à travers son corps.

APERÇU DE LA TABLE DES MATIÈRES

- La première section du manuel traite de la dimension affective à travers la dialectique fusion-individuation. En regard du processus entropique dans l'affectivité humaine, on y développe deux types de structures néguentropiques: la médiatisation fusionnelle et le positionnement du moi. Au niveau des aspects cliniques, on met en relief le déficit fusionnel dans la psychose qu'on illustre à travers un modèle dit «quantique» de système. En second lieu, l'anaclitisme est élaboré comme concept d'approche systémique. Les états affectifs investis de façon fusionnelle sont en circuit réflexe par rapport à l'agir. Quand il y a déséquilibre, on retrouve, entre autres, la dépression, le suicide, la phobie, la délinquance et la consommation.

- L'application de la dynamique fusion-individuation à la sociologie permet l'utilisation d'une dialectique commune où les mouvances individuelles et collectives sont maintenant en continuité. Le concept de santé est développé à travers une imagerie de système. Puis on fait une synthèse des différents types d'intervention sur la psyché humaine pour, par la suite, ouvrir certains aspects particuliers à des interventions dans une perspective dite de réseau. Enfin, on retrouve un texte synthèse sur la notion de SOI qui articule la relation intégratrice psycho-bio-sociale.

- La deuxième section du manuel traite de la dimension cognitive à travers le mimétisme et les champs polarisés. On s'inspire d'abord de certaines structures linguistiques pour établir l'intensité mimétique et la sujétion pulsionnelle qui en découle. Puis, on étaye le développement de cette mimésis, qui va assurer (espaces de fixation) la stabilité ou continuité de l'espèce humaine: imitation et polarisation. Enfin, on situe les lieux de l'arbitraire individuel et de la socialisation: le décalage signifiant-signifié et l'interaction exponentielle (espaces exponentiels). Il y est précisé quatre notions: le désir, l'identification, le délire et l'arbitraire.

- Dans un second chapitre, on élabore la thématique des champs polarisés. En partant de la carence mimétique qui laisse apparaître les psychoses autistiques et symbiotiques, on situe les pulsions mimétique et libidinale, les perversions alcoolique et toxicomane pour aboutir à l'espace polarisé dont la métastructure est celle de l'appartenance et de l'identité, du jeu du même et du différent, dont le déficit fondamental a pour nom *schizophrénie*. La religion relève du champ polarisé de l'intensité mimétique; le bien et le mal ou le OK vs NON / OK relèvent eux, de la détermination même de l'«APPELLATION». La socialité qui y prend origine à travers le plaisir de l'intensité, le OK vs NON / OK de l'identification adéquate, se structurera dans le champ de l'appartenance et de l'identité. Elle fondera le senti patriotique et familial, à savoir le senti amoureux et celui d'intériorité. Le mouvement dépressif en exprimera à la fois la distorsion et la pulsation.

- Nous nous intéressons, dans le texte suivant, au fait de la relation et du couple. On étudie les notions de rôle, de position et de diffusion affective. On s'intéresse au problème de la réversibilité. On met en relief le fait d'un seuil à ce niveau et d'un illusoire d'une totale réversibilité en connexion concrétude / capacité symbolique du même couple, la perte de cette illusoire étant liée à l'évolution de cette dernière dynamique. On fournit, à titre spéculatif, le schéma d'un éventail intégrateur des espaces polarisés. L'étude du couple, à travers le compréhension polarisée des dimensions espace-temps, met en place un décalage rôle-position qui insère cette relation dans un plus vaste système social.

- Enfin, ce décalage ouvre la dimension de l'imprégnation humaine qui, associée à la diffusion affective, qualifie la texture de la relation en termes vie-mort, à teinte sadomasochisme, adaptée à la «finitude» des corps. La dimension suicidaire est alors appréciée en fonction de types de mentalisations liés à l'anaclitisme et à l'axe concrétude / capacité symbolique. Au niveau d'un collectif plus vaste on étudie deux sortes d'imprégnation qui servent à le façonner et à le restreindre. L'aliénation, c'est le positif et le négatif de toute entité et de tout choix. Le dernier chapitre de cette section s'attarde de façon plus étroite à l'impact de la «forme» collective (gestalt): pression sociale, dynamisme structurel, appartenance, insertion sociale, mobilisation...

- La troisième section comprend des textes synthèses utilisés actuellement pour l'enseignement aux résidents en médecine familiale. Le premier porte sur la fusion-individuation et deux types de mentalisation qui se caractérisent, l'une par l'agir (anaclitisme), l'autre par l'intériorité symbolique. Le second texte porte sur la relation entre biologie et psychisme. Il y a d'abord un survol de l'impact des neurotransmetteurs et des grands syndromes psychiatriques: délinquance, schizophrénie, dépression, hyperactivité, manie-dépression... Puis, il y a l'établissement des deux cycles physiologiques du sommeil, l'hypothèse sérotoninergique et celle d'un rapport avec les dimensions concrète et symbolique. Enfin, l'aspect psychosomatique est abordé dans cette dernière perspective.

- La quatrième section fait état de textes antérieurs à l'élaboration du manuel. Ils contiennent les prémisses de ce développement. L'un constitue une synthèse sur «les états frontières» (syndrome «borderline»), l'autre précède de peu les premiers travaux sur ce manuel et fait état des préoccupations psychosociales des auteurs (réseaux socio-affectifs) de même que de l'utilisation déjà amorcée de la dialectique fusion-individuation. Intensité mimétique et fusion, champs polarisés, et fusion-individuation sont des équivalents qui, sous des angles différents, situent la même réalité dite psychosociale. Concrétude et capacité symbolique intègrent la dimension du corps et son historicité intégratrice dans sa trajectoire qui, à ce niveau, ne peut être qu'entropique.

TABLE DES MATIÈRES

INTRODUCTION

Quand j'ai fait mes études en psychiatrie, le mouvement de l'époque s'orientait vers la psychiatrie dite communautaire. En quelques années, il est apparu évident, malgré la bonne volonté de plusieurs, qu'on ne savait pas trop comment faire de la psychiatrie communautaire. Nos outils, nos concepts, nos valeurs étaient tous imprégnés de normes «individuelles» et s'inséraient mal dans des modalités collectives. Peu à peu, le mouvement fut récupéré au sens administratif pour en fait développer une psychiatrie dite de secteur. On se résigna à l'offre de services individuels à des «portions» équitables de collectif (secteur).

Cette démarche s'était accompagnée d'un questionnement du pouvoir médico-psychiatrique et des structures inhérentes. Il s'en est suivi une récupération administrative qui força une répression vers des rôles plus hermétiques et plus étanches. La psychiatrie réinséra sa niche médicale et biologique. Les psychiatres retrouvèrent leur sensation de pouvoir au sein d'une «Tour d'Ivoire» pour le prix duquel ils se dépossédèrent en confiant la gestion aux administrateurs. Éternel retour des choses, l'Institution retrouva sa place, bien sûr un peu mieux aménagée pour sa fonction aliénante et sécurisante.

La pseudo-expérience communautaire nous semble avoir été faussée à la base par un défaut d'instrumentation ou d'outils à même de s'aménager avec le collectif. Toute la formation, les théories, les techniques visaient la conceptualisation de l'être comme une entité fondamentalement distincte. La médecine par son objet délimité qu'est le corps et la psychologie par sa détermination d'une psyché en constellation autour du MOI définissent un être unitaire et par conséquent la valorisation ambiante de la capacité autonome.

Médecine et psychologie se sont développées en ce siècle et dans notre culture car cette valeur automiste ou individuante corroborait le système socio-économique qui y préside. La société industrielle fonde sa production sur le principe de consommation. Cette dernière est directement reliée aux besoins que les individus se donnent. Plus il y a d'unités individuelles, plus le processus est égalitaire et compétitif (économie basée sur «l'hallucinose de la *rareté*»), plus la consommation s'amplifie: ainsi la présence de plusieurs téléviseurs et automobiles dans une même famille est un phénomène de plus en plus fréquent dans la société nord-américaine. La valorisation individuante est à la fois produite par les acquisitions (illustration de la capacité du MOI) et ressentie comme équilibration normative en rapport aux autres.

Comme les psychiatres, les consommateurs se dépossèdent pour l'illusion d'un pouvoir (valeur individuante) dont la sensation immédiate leur fait mirage au profit d'un processus où leur productivité est finalement rentabilisée pour les gestionnaires de l'économie.

L'être humain, plus que toutes les autres espèces vivantes, est un être sociable. Il ne peut survivre à la naissance qu'à l'aide d'un milieu-mère. Sa dépendance sera la plus longue. Une fois arrivé à maturité, il s'enferrera dans de nouveaux circuits de dépendance : couple, famille, réseaux de travail ou d'amitiés... S'il se dégage d'une telle relation à un niveau, ce ne sera que pour s'y replonger un peu plus tard ou simultanément à d'autres niveaux. L'autonomie chez l'être humain, ce n'est pas l'indépendance. **L'autonomie, c'est la capacité de changer de dépendance quand cette dernière nuit à son équilibre**.

La psychiatrie sociale s'intéressera à une compréhension de l'humain où soi et les autres fusionneront dans un même mouvement. Les théories, techniques et concepts qui seront développés dégageront une dynamique oscillatoire, rythmique, d'insertion globale : individu, social, affectif, cognitif, biologique... Ce cheminement est une amorce, une ouverture de perspectives, une façon de se comprendre comme soi, partie du mouvement d'un tout.

CHAPITRE PREMIER

LA DIMENSION AFFECTIVE

La dialectique FUSION-INDIVIDUATION

ASPECTS THÉORIQUES

On peut tous constater que, dans notre vie, on fait parfois les choses pour nous-mêmes, parfois pour les autres. Je reçois un montant d'argent : Je me paye un plaisir. J'apporte un petit «quelque chose» à l'être aimé (conjoint, enfant...). Certains vont tout garder, d'autres tout donner. Entre les extrêmes, on va retrouver une moyenne de gens qui se partagent entre ces deux mouvements. En fait, si on y regarde bien, on va percevoir que l'on oscille entre ces deux positions, entre l'investissement de soi et celui des autres. Cette oscillation constitue un véritable rythme, en fait une pulsation particulière à chacun même si universelle pour tous. Nous suggérons dans les propos qui suivent que ce rythme repose sur un équilibre des processus affectifs visant à créer une homéostasie intérieure satisfaisante en regard du réel.

A) Le mouvement entropique

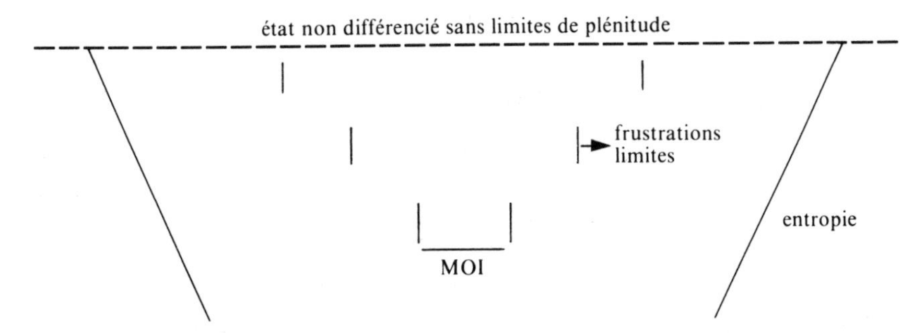

L'enfant naissant sort d'un milieu de quiétude et se confronte aux limites ou frustrations (faim, froid, douleur...). Ces délimitations progressives cernent peu à peu son individualité, en fait réduisent son vécu de sensations globales à un vécu de plus en plus restreint : réduction qui trouve son terme final dans la mort. L'entropie, c'est le processus du réel où la matière se désintègre peu à peu, c'est la confrontation à une réalité qui nous limite à un épisode de vie (donc, à une fin), c'est l'inhérence à la vie qui s'incarne dans un corps physique.

B) La médiatisation fusionnelle (Structure néguentropique 1)

Cette confrontation aux limites demande pour être intégrée un aménagement progressif des tensions. L'enfant se développera dans un milieu fusionnel. On parlera de symbiose mère-enfant (ou milieu-mère) à même de moduler les heurts et tensions dans des modalités acceptables à la personnalité en croissance.

C) Le moi cognitif (Structure négentropique 2)

Dans son développement, l'enfant acquerra peu à peu la maîtrise de sa motricité. Cette première capacité face au réel enrayera temporairement l'entropie par la formation d'une sensation de pouvoir (MOI) à même d'agir sur les contingences de l'environnement. On appellera structures néguentropiques ces formations en développement à même de se donner un temps de vie, une stabilisation temporaire d'un état. À l'échelle de l'Univers, les étoiles (soleils qui se désagrègent) en sont un exemple. À notre niveau, nos corps biologiques en sont un autre exemple, nos structures d'individualité aussi. La sensation de MOI se reliera d'abord à l'acquisition d'une capacité vécue à travers la motricité puis elle se décuplera progressivement par l'acquisition de la connaissance à partir de cette sensorimotricité (Piaget).

D) L'Équilibre moi cognitif / Médiatisation fusionnelle ou individuation / Fusion

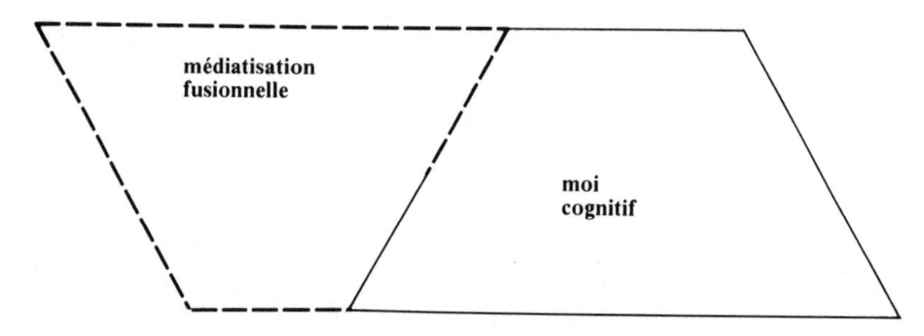

Il y a une relation inversement proportionnelle entre la capacité du MOI et l'intensité de la médiatisation fusionnelle qui font équilibre. Le bébé avec un MOI à peine en amorce ne peut survivre qu'avec l'aide de son milieu-mère. Par ailleurs, l'adolescent sécure peut quitter sa famille pour aller vivre seul.

Il en sera de même (relation inversement proportionnelle) entre le besoin de remplir des rôles pour se sentir utile et le développement d'une identité intérieure (MOI psycho-dynamique) où la relation à l'autre devient plus accessoire. Le rôle renforce le MOI cognitif mais nécessite l'appartenance fusionnelle forte. La sensation d'identité est un équivalent d'une médiatisation fusionnelle mais elle libère de ses appartenances pour consolider l'individualité.

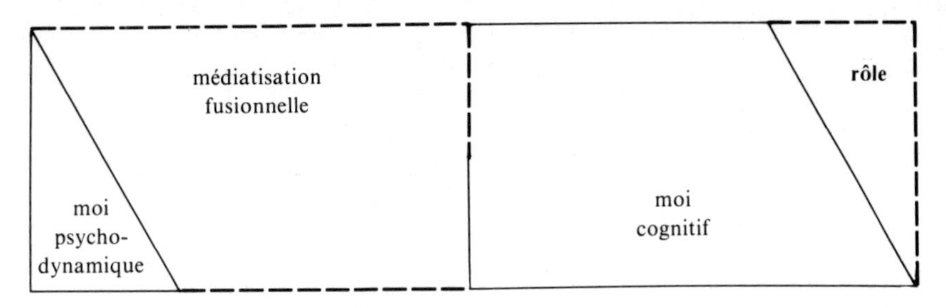

individuation = **moi cognitif + moi psychodynamique**
fusion = **médiatisation fusionnelle + rôle**
fonction cognitive = **moi cognitif + rôle**
fonction affective = **médiatisation fusionnelle + moi psycho-dynamique**

Les positions de rôle et de MOI psychodynamique sont des formations intermédiaires d'équilibration fonctionnelle de la structure mentale des individus. Nous reprendrons ces notions un peu plus loin pour les développer davantage.

E) Les médiums fusionnels

Nous avons vu que le milieu-mère constitue une médiatisation fusionnelle indispensable aux premières années de vie de l'enfant, à cette dépendance nécessaire qui va chez l'être humain au moins jusqu'à la puberté. En parallèle, ce dernier développe son MOI pour être éventuellement capable de se débrouiller seul avec la réalité. En fait, l'évolution des cultures a forgé l'adolescence, ce qui draine une dépendance qui s'étire parfois maintenant jusque dans la vingtaine. Et puis, c'est l'amour, le mariage, la famille... et / ou le travail, l'implication sociale, la carrière... Toutes des formes sociales où tantôt on pense à soi tantôt on vit des autres.

Ce vécu qui nous sort de notre individualité constitue un processus d'équilibre à un MOI qui restera toujours plus ou moins insatisfaisant, qui ne peut se vivre qu'en termes d'un «manque» fondamental. La médiatisation originelle se transformera alors en diverses formes susceptibles de soulager l'individualité de limites trop drues dans le réel du moment. On appellera ces formes : médiums fusionnels. Le vécu affectif qui nous fera nous sentir participant (ou fusionné) à un médium se définira de façon générique par le terme «appartenance». Nous élaborons ci-après de façon brève certaines de ces formes ou «médiums fusionnels».

1) appartenance religieuse

Que ce si à travers l'idée d'accession au paradis ou de fusion nirvanique dans l'Univers, la religion efface l'entropie, annule la perception des limites par la résolution déterminante de la mort. Quelle que soit la petitesse de mon moi, la foi transcendera mon individualité appauvrie pour lui redonner la dimension de l'univers. Le mythe religieux préside au développement des grands collectifs humains (comme nous l'expliciterons un peu plus loin) et il constitue la charnière symbolique opératoire du collectif qui peut atteindre à l'immortalité si l'individu biologique ne le peut pas. L'humanité a un sens dans l'évolution de l'Univers et notre participation à ce sens (que ce soit comme enfant de Dieu ou dans la communion de notre énergie au grand Cosmos) nous redonne comme entité une amplification fusionnelle, un vécu de plénitude qui efface les limites de notre matérialité.

2) Appartenance familiale

L'être humain naît et survit dans un milieu-mère. Ses premiers réflexes (s'agripper, sourire, réagir au confort...) vont l'insérer dans une relation symbiotique satisfaisante (par gratification de la mère). Cet attachement de base aménage un besoin social, une sécurité affective qu'il cherchera toute sa vie à réaménager (plus ou moins).

L'amour draine un vécu fusionnel très intense. Il est la forme la plus consciente de notre besoin de l'autre, celui de vivre d'un mouvement qui nous transporte hors de nous-mêmes. Il produit souvent l'unité sociale qui génèrera la famille. Il préside à l'investissement de nos rôles au sein de ce groupe nucléaire. Maternité, paternité, filialité, constituent les composantes de l'adhérence familiale. Ces dernières apparaissent comme les liens les plus permanents où le sens affectif de vivre de l'autre prend toute son ampleur. C'est dans la possibilité du milieu-mère d'être fusionnel que se génère les conditions d'un symbiose nécessaire au niveau du premier environnement de l'enfant.

3) Appartenance sociale

Au fur et à mesure de la formation du MOI, l'enfant prendra un peu de distance vis-à-vis les siens. Naturellement, il se rapprochera de ses pairs au niveau de ses jeux et intérêts. La scolarisation facilitera ce processus à travers des vécus collectifs de petits groupes: adhérence précieuse qui servira d'alternative à la famille (ex.: la gang pour l'adolescent...). L'enfant en croissance a besoin pour croire à son identité de s'actualiser dans un agir qui confirme sa capacité. Le projet collectif en général fournira ces tâches où une action peut être développée. Les divers rôles alors possibles permettent au MOI de s'illustrer ses capacités au sein d'une appartenance autre, qui maintient la sécurisation affective de base. Le rôle, c'est la croissance cognitive sans entropie, sans deuil des limites. Les limites sont celles de l'Institution (ce qui protège de trop les sentir pour nous-mêmes), laquelle est toujours plus ou moins en décalage du projet collectif (ce qui lui laisse son idéalisation possible, donc sa teneur entière en investissement fusionnel). Le patriotisme en constitue l'adhérence la plus forte.

4) Appartenance perceptuelle

a) La dimension moïque

La perception, c'est l'action de l'organe physiologique qui nous met en contact avec l'extérieur (vue, ouïe,...). L'autre n'arrive à nous qu'à travers les stimuli qui nous le rendent perceptible. La sensori-motricité constitue comme nous l'avons déjà cité l'enclenchement de la connaissance, donc d'une capacité qui récupère l'«élation» (euphorie de puissance ou de totalité) fusionnelle au service du moi. L'appareil cognitif procède à partir d'unités (ex.: mots, concepts...) qui, mise en interaction, reconstituent l'infini des possibilités (sensation de disparition des limites). Le moi cognitif enraye l'entropie en reprenant à son compte l'«élation» de la sensation fusionnelle pour la restructurer dans l'espoir ou l'illusion des possibles (auxquels un ancrage senti ou réel permet de croire).

1- Deux unités donnent une corrélation simple A——B
2- Cinq unités donnent

- dix corrélations simples

A——B	B——C	C——D	D——E
A——C	B——D	C——E	
A——D	B——E		
A——E			

- quinze corrélations complexes

A——BC	A——BCD	B——CD	C——DE
A——BD	A——CDE	B——CE	
A——BE	A——BDE	B——DE	
A——CD			
A——CE	A——BCDE	B——CDE	
A——DC			

Plus il y aura d'unités, plus les corrélations se multiplieront (au lieu de s'additionner). On parlera alors de progression géométrique. De telles possibilités sidèrent et permettent de créer un espace où il y aura toujours à découvrir, une ouverture de sens ou d'alternatives que le MOI utilisera à l'élaboration de cohérences (plus ou moins changeantes selon les fluctuations du réel) à la base même de son adaptation.

Les stimuli qui perturbent l'homéostasie intérieure (quiétude) mettent en place une désorganisation (temporisée par le milieu-mère) que le processus cognitif cherchera peu à peu à restructurer, en fait à réunifier (l'existentiel du cognitif étant de procéder à partir d'unités). Suivant la plus ou moins grande capacité du moi à se constituer des images (capacité symbolique), il les associera à des sentis affectifs dans une tentative de s'élaborer *UNE* histoire qui sera la sienne, qui sera lui ou elle. Ce sera le MOI dit psycho-dynamique.

b) La dimension sensitive

Les stimuli qu'enregistrent la perception ont aussi à l'occasion la propriété de regénérer une plénitude intérieure, une «élation» qui actualise une intensité de vivre. Ce sera le fait de l'art, de l'esthétisme. La musique, entre autres, par la facilitation des sons et des émotions, nous fera atteindre facilement à une diffusion hors de nos strictes limites. La créativité et / ou toute forme d'expression recule nos limites, resitue une ouverture expansive à se donner une dimension plus satisfaisante.

c) La dimension instrumentale

Les stimuli s'inscrivent à travers une perception modulée de façon nécessairement biologique. Toutes les substances qui agiront sur le corps pour atténuer les tensions permettront à l'individu de retrouver la quiétude originelle, du moins pour un moment. Ce sera l'alcoolisme et les toxicomanies.

L'accentuation rapide tension-détente fera vivre l'intensité du décalage dans le bien-être physiologique. L'élation induite sera de type orgasmique ou sexuelle (masturbatoire, relationnelle, équivalents pervers...)

d) La dimension opératoire

L'agir humain dans sa relation à son environnement tend à l'aménager en terme de familiarité afin de s'y situer de façon sécurisante (adaptation non nécessaire). Cette acclimatation tend à diffuser notre soi aux objets et personnes qui nous environnent. Ce seront notre travail et la compagnie ou l'usine qui deviendront nôtres. Ce seront nos lieux d'habitation, les objets seront domestiques, l'auto et, au niveau humain, le conjoint, la famille, les amis. L'accentuation de cette appartenance se dénommera la propriété. La façon de la vivre ou de la nommer la rendra blanche ou noire selon les valeurs de l'environnement.

F) La dialectique fusion-individuation (ou rythmique)

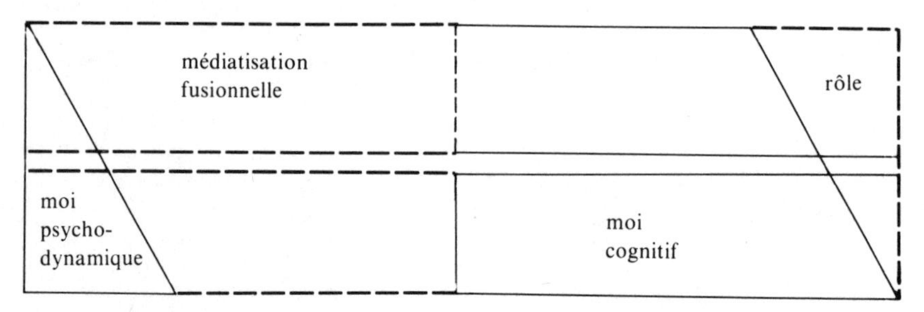

L'individu normal, c'est celui qui a vécu une situation familiale satisfaisante. Il a réussi à s'en distancer en se donnant une capacité personnelle qu'il a le plus souvent acquise à travers divers rôles où il s'est rendu utile. Il s'est fait des amis, a adhéré à certains groupes pour des moments variables. Il a une pratique religieuse ou patriotique sans être extrémiste. À un moment donné, il a fait le point sur son vécu. Il a ressuscité certaines images qu'il a associé à ses façons d'être maintenant. Il a vécu une relation amoureuse, s'est permis un ou deux enfants. Il aime se retrouver avec sa famille d'origine de temps en temps. Le travail peut avoir été un «challenge» durant quelques années. À certains moments, il a pu essayer alcool ou drogues. Parfois, il s'est intéressé à un médium culturel ou à une mode sociale (jogging...). À notre époque, il a été exposé à d'autres incitations amoureuses. Il a vécu quelques downs aux moments d'adaptation plus difficiles. Il a dû remanier certaines cohérences pour intégrer un certain désabusement et quand même maintenir un certain sens à sa «mouvance élative»...

L'être humain oscille de façon continuelle entre des mouvements individuels et d'autres fusionnels. Chacun a son rythme qui repose sur ses besoins d'équilibration intérieure où vivre de l'autre a parfois plus d'impact que vivre de soi. L'alternance du mouvement permet une meilleure adéquation du réel et de sa propre intériorité. Cette pulsation est vitale. Sa dysfonction engendrera diverses souffrances dont nous traiterons maintenant.

ASPECTS CLINIQUES

La psychose

A- Déficit du soi

La folie a toujours été perçue comme un dérèglement social. On remarque ces gens un peu spéciaux par leur incapacité d'être en relation de façon usuelle et par leurs agirs ou communications qui ne semblent pas correspondre à la réalité de ce qui se passe. On utilisera en clinique deux termes pour les caractériser: autisme et délire.

L'autisme, c'est le fonctionnement asocial, le vécu qui s'isole de celui des autres, se replie, se situe hors de portée. La psychose, c'est une pathologie sociale fondamentale. Elle prend son origine dans le déficit originel de la capacité sociale, soit la symbiose milieu-enfant (ou mère-enfant). De fait, on appellera autisme infantile l'incapacité de cette première relation.

Pour être capable de se comporter comme être sociable, il faut avoir vécu cette unité sociale de base qu'est la symbiose mère-enfant. Nous définirons cette unité du terme de SOI. Tout état qui bloquera l'établissement satisfaisant minimal d'une telle fusion engendrera à plus ou moins long terme une désorganisation de type psychotique. Aucun soi n'est alors accessible.

MOI : capacité circonscrite d'une individualité

SOI : capacité circonscrite d'une unité sociale constituée d'un réseau spécifique d'appartenances qui s'élaborent à partir d'une individualité

B- Facteurs dissociants sur symbiose mère-enfant

1) Biologique

a) inexistence des réflexes («imprinting») de base au premier contact: action de s'agripper, sourire, satisfaction à la chaleur...

b: déficit ou surstimulation perceptuelle (biochimique ou structurelle) globale: déficience profonde, incapacité du contact œil-œil ou du regard dans le miroir, instabilité excessive du contact...

La proximité physique mère-enfant implique une action-réaction qui structure un «senti» satisfaisant et gratifiant de part et d'autre. Une carence extrême (par déficit ou fragilité défensive) n'induit pas les boucles de rétroaction nécessaires à l'état recherché d'équilibration fusionnelle.

2) Surdétermination cognitive

a) fragilité perceptuelle de l'enfant qui adhère de façon défensive à des rôles stéréotypés (l'hyperconformisme à être comme il faut...)

b) obsessivité extrême de la mère (milieu) qui utilise la maternité comme lieu de pouvoir de sa propre affirmation

c) pattern d'un milieu qui utilise l'enfant strictement pour se protéger contre une angoisse de mort ou maintenir une structure pathologique

d) fragilité perceptuelle de la mère (milieu) qui ne peut établir une relation fusionnelle minimale sous l'impact de stimuli excessifs de l'extérieur (présence étrangère à la maison, perturbation familiale ou sociale circonstantielle, impact culturel des valeurs individuantes dans la dévalorisation de la position maternante...)

La relation fusionnelle mère-enfant (milieu) doit établir un lieu social satisfaisant qui offre une capacité intégratrice à l'égard de l'ensemble des stimuli, tensions et frustrations. L'impossibilité d'un tel état laisse l'enfant face à une pluralité de stress en regard desquels il n'a aucune défense sauf une sidération de toutes ses perceptions. Ce sera l'autisme infantile.

En même temps, la relation fusionnelle doit permettre de façonner l'éclosion d'un MOI à portée équivalente (dit psycho-dynamique), soit d'une capacité intégratrice individuelle ultérieure de ces mêmes stimuli et tensions. Ce processus s'enclenchera dans la constitution d'un espace flou à l'intérieur de la symbiose, espace de jeu où le MOI pourra se dynamiser. Nous vous proposons dans un premier temps deux modèles d'un tel développement.

C- Modèles

1) Modèle kleinien

L'enfant identifie les objets dans une polarisation primaire de bon ou méchant. On dira que ce sont des objets partiels, car vécus dans une seule de leurs facettes. Le jeu qu'il peut en faire durant un certain temps lui laisse vivre une sensation de choix et de pouvoir sur le réel. Ce jeu accompagne le développement de la capacité cognitive et d'un attachement plus circonscrit à l'objet mère. La connaissance amène à un moment donné (qu'on appellera position dépressive) à reconnaître dans la mère adulée la jonction des objets, bon et méchant : objet total. L'acceptation d'une telle réalité, de la perte de la toute puissance infantile ne sera possible qu'en regard de l'importance de l'attachement qui amènera l'enfant à intégrer le mauvais objet comme tolérable dans le réel.

2) Espace transitionnel de Winnicot

Le lieu symbiotique constitue une alcove protectrice où l'enfant peut s'ébattre, faire des mouvements de son choix. L'affirmation est reconnue par la mère qui les agrée comme positif. Ce sera un peu comme une cellule (l'enfant) qui émet des pseudopodes (jeu) sans rencontrer de limites (échec) dans le milieu (nutritif).

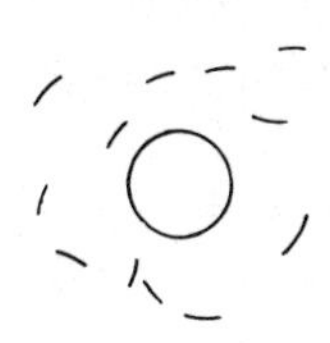

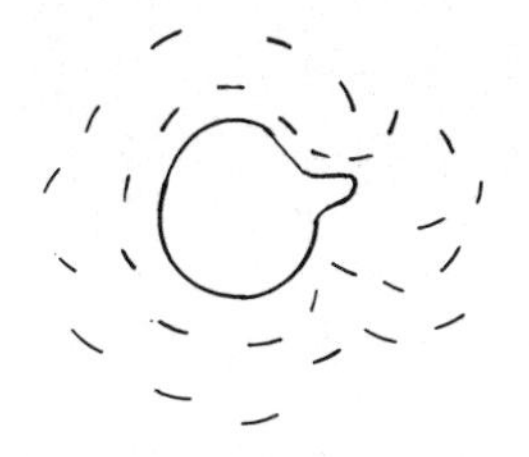

cellule qui projette un pseudopode pour se déplacer

cellule dans milieu nutritif

L'assurance du mouvement de l'enfant à travers son jeu constitue la trame sécurisante (la foi ou l'illusoire unificateur) des cohérences cognitives qui par la suite constitueront son affirmation et son adaptation. La délimitation individuelle sera vécue positive car aménagée affectivement comme un choix libre. Les cohérences moduleront la relation ou réel comme étant l'initiative ou le mieux-être du sujet qui sera capable alors d'avoir foi en lui de par son efficience immédiate sur les facteurs environnants apparents. Cette efficience est liée à la confiance fusionnelle du sujet (sécurisation affective) qui se permet d'agir et constate ainsi l'impact positif du geste.

Toute individualisation précoce à travers un rôle trop strict (il doit être le bon objet; la mère ne peut être vécue que comme bonne; il est l'image, la réincarnation du grand-père décédé; il sera le joueur de hockey que ne n'ai pu être;...) court-circuitera la possibilité d'intégration des objets partiels (d'atteindre à la position dépressive = normalité) ou figera toute sécurisation d'une «mouvance possible» car elle a toujours été celle du milieu et jamais la sienne.

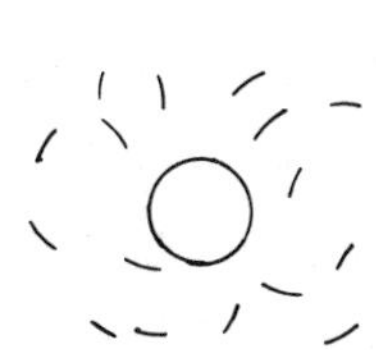

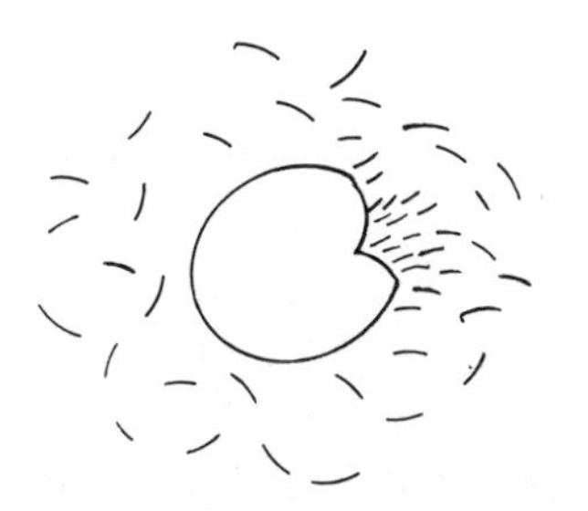

mouvement de la cellule qui est incurvée par la pression du milieu

cellule dans milieu nutritif

individualité de rôle qui ne donne aucune assise à une capacité de mouvance personnelle

Un milieu donné peut permettre à ce système de polarisation excessive sur une relation partielle ou une position de rôle de fonctionner à l'extérieur de certaines limites. La poussée biologique de la puberté (besoins d'affirmation adulte en regard de l'agir et de la sexualité) et la crise d'identité de l'adolescence qui doit se confronter à la vie autonome dans la société feront alors éclore la dissociation psychotique qui n'a pas d'assise affective intégratrice et unificatrice de l'individualité. Le milieu qui ne permet pas l'émergence d'un moi psycho-dynamique minimal ne peut être reconnu comme un soi c'est-à-dire un lieu d'appartenance qui fonde une sécurisation fondamentale à être. Cette dépossession qui situe l'être sans défense face aux stress multiples verra l'émergence d'une angoisse intolérable qui sera compensée dans un premier temps par les projections délirantes (que nous traiterons dans un chapitre ultérieur) et finalement sidérée dans le repli autistique de la psychose.

a) Autisme infantile

Sidération perceptuelle liée à l'impossibilité d'établissement d'une relation fusionnelle.

b) Psychose

Aménagement d'un rôle précaire à texture cognitive délimitée qui ne permet pas d'assise affective fusionnelle, la puberté et la poussée individualisante de l'adolescence amèneront la perte du rôle, l'angoisse massive, la poussée délirante et le repli autistique.

D- Thérapeutique

Que l'on perçoive la psychose dans ses dimensions biologiques et / ou psychosociales, la dissociation qui y est présente force soit l'exclusion soit des interventions de type intégrateur. Il y a quelques siècles, l'évolution limitée des connaissances et de l'humanisme de même que la faible densité démographique et la présence d'espaces géographiques libres favorisaient des mesures soit d'exclusion, soit de mise à mort. Avec le développement culturel, la poussée des valeurs individuantes, la densification des populations et la diminution considérable des espaces libres, la société a forgé peu à peu des mécanismes intégrateurs : prison, asile, médication, psychothérapies. La société ne peut que reconnaître le mécanisme social de la psychose et agir par une réintégration ou une exclusion. La différence entre ces deux formes d'intervention n'est pas toujours très claire et les positions réintégratrices plus évoluées de la médication et de la psychothérapie ressemblent parfois à des formes d'exclusion plus sophistiquées.

La surdétermination cognitive de la psychose (pluralité des stimulis ressentie comme excessive...) ou rôle précoce défensif évidé d'affects) court-circuite l'établissement d'une dimension fusionnelle satisfaisante (SOI), donc l'émergence impossible d'un MOI intégrateur psychodynamique. L'approche humaniste la plus conséquente nous semble celle d'une protection sociale affective. La relation thérapeutique avec le psychotique ne peut qu'être fusionnelle. Quelles que soient les conceptions des thérapeutes, ils prendront tous des mesures en ce sens : asile protecteur, hospitalisation sécurisante, psychothérapie intensive, présence et disponibilité antipsychiatrique, foyer de groupe ... Toutes ces mesures restituent un réseau social d'appartenance qui à divers degrés dans le temps peut recréer un soi d'équivalence intrégratrice et parfois redonner une ouverture à un MOI psycho-dynamique.

E- Modèle systémique ou quantique (fusion-individuation)

Les derniers modèles discutés sont couramment les plus utilisés en psychologie psychiatrique. Nous avons voulu illustrer que même les concepts très individualisants se donnent une inférence fusionnelle qui se dynamisera dans le MOI dit psycho-dynamique. Dans un second temps, nous proposons un modèle plus systémique, en corrélation conceptuelle plus étroite avec la dialectique fusion-individuation.

Pour l'illustrer, nous utiliserons l'imagerie de la théorie quantique (Max Planck). À partir des travaux d'Einstein sur la relativité, la physique moderne a élaboré une nouvelle compréhension de la matière-énergie. La mécanique «quantique» élaboreara l'idée que la différence entre matière et énergie est fondamentalement perceptive. Suivant les instruments d'analyse, la lumière pourra être saisie comme des particules-matière (photons) ou comme une onde-énergie. De même, deux électrons situés respectivement dans des régions spatiales éloignées exercent une influence réciproque instantanée sans que les lois physiques usuelles puissent expliquer le phénomène. L'état apparent de la matière n'est que la perception érigée en concept ou non d'un lien énergétique. L'atome c'est l'état énergétique qu'illustre la relation symbiotique proton-électron. L'électron ne se dissocie pas du proton comme en électricité le négatif du positif. Un électron qu'on isole verra sa turbulence s'amplifier en relation proportionnelle à l'espace de confinement. Plus le contenant est petit, plus la turbulence s'intensifie. L'énergie cherche sa liaison.

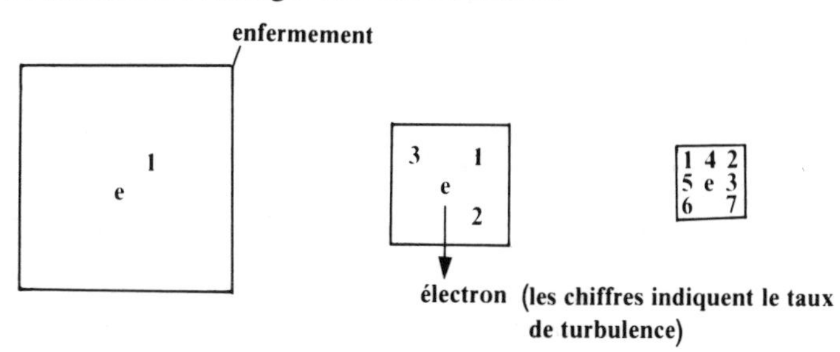

(les chiffres indiquent le taux de turbulence)

L'individualité qui se fait réduire à un MOI cognitif voit augmenter sa turbulence (amplification des stimuli et de la dissociation psychotique) alors que la liaison énergétique sociale lui donne sa cohérence et sa stabilité.

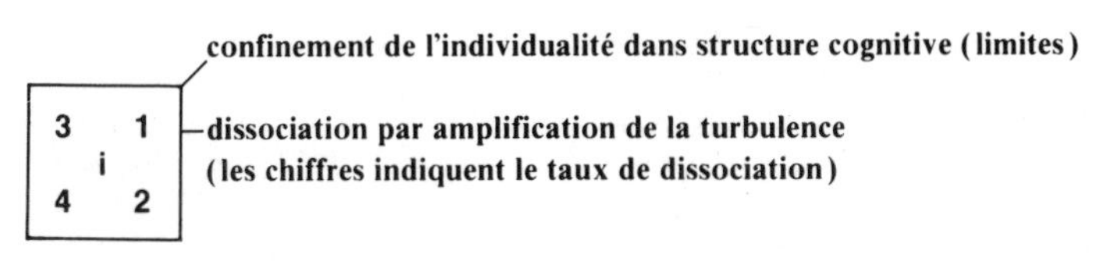

L'individuation précoce qui court-circuite la liaison fusionnelle, et par là l'espace affectif enferme son individualité dans un espace sclérosé. L'énergétique individuelle s'exprimera par une turbulence de plus en plus massive dans sa quête d'une liaison fondamentale, seul sens d'un existentiel possible. L'appartenance du soi ou son aménagement dans le MOI psychodynamique constitue le lien social nécessaire à l'individualité.

Que l'espace soit ouvert ou fermé n'a plus d'impact sur la liaison énergétique.

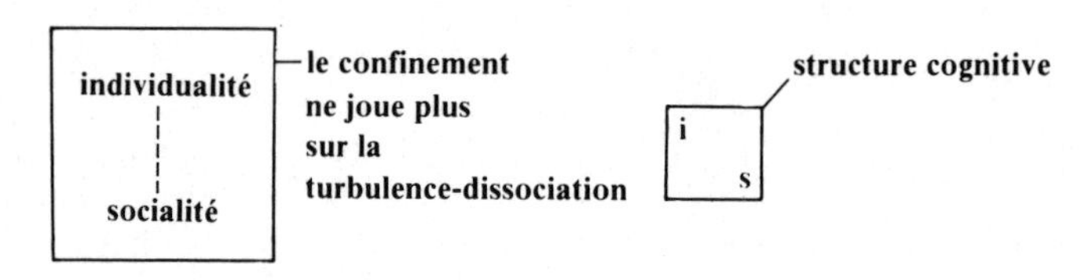

La structure cognitive, de par les stimuli auxquels elle donne accès, nécessite un substrat intégrateur de son «élation» / turbulence.

L'Anaclitisme

A- Le modèle systémique

Le modèle systémique nous illustre une compréhension de l'être humain indissocié, comme un tout, à la façon d'un organisme : la circulation sanguine ne se dissocie pas de l'oxygénation respiratoire ni de l'innervation neurologique. Le SOI ne se dissocie pas du MOI, l'individualité du social. Le modèle n'est pas linéaire mais circulaire. L'un engendre l'autre et vice-versa.

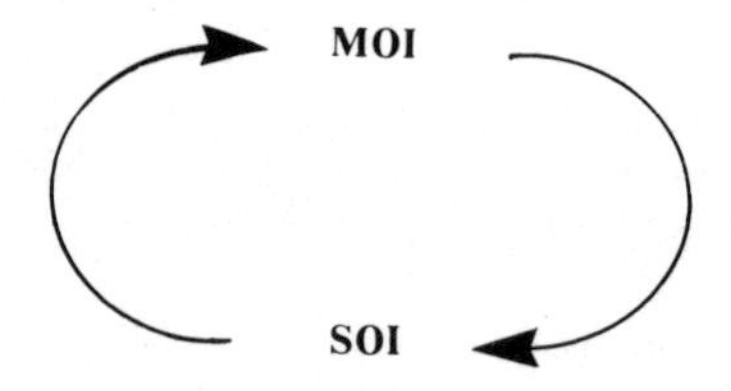

L'aménagement de la réalité peut favoriser ou handicaper certains éléments. L'ensemble peut se compenser jusqu'à un certain point mais jamais totalement. L'anaclitisme exprime la réalité de notre besoin social. Certains être vivront ce besoin de façon plus significative. Pour d'autres, la croissance du MOI aura plus d'impact. Le vécu positif du SOI favorise l'éclosion du MOI. L'assurance affirmative du MOI y reconnaît son appartenance et s'y développe. La dissociation dans la psychose confirme l'atrophie d'un des éléments, ce qui amène la dysfonction de l'intégrité de l'ensemble.

À une échelle moins pathologique, les multiples facteurs du réel peuvent favoriser l'appartenance ou l'individuation. Lorsque le MOI psychodynamique n'est que peu investi ou lorsque la situation sociale force le rôle au sein de l'appartenance, l'actualisation de l'être se situera dans des modalités anaclitiques plus prononcées. À l'inverse, les facteurs qui favoriseront l'hypertrophie des instances psychodynamiques favoriseront le processus de névrotisation (dont nous traiterons dans la discussion clinique sur les champs polarisés).

L'anaclitisme constitue la force dynamique de l'investissement social. Il fonde la matrice du sens d'être en générant les formes les plus atttractives de l'agir. Les premières images polarisées du MOI (bon-méchant, beau-laid, intérieur-extérieur...) canaliseront le geste dans des cohérences d'adaptation en «satellisation» constante des médiatisations fusionnelles déjà décrites (amour, religion, collectif, travail...).

L'amour, qui s'insère de fait dans le milieu social, relève de cette mobilisation. Que ce soit le politicien qui veut se donner du pouvoir, le médecin qui se crée une valorisation ou le révolutionnaire qui se sacrifie pour un idéal, chacun, à sa façon, tire son sens de sa relation aux autres, d'une dépendance fondamentale qu'il actualise dans un rôle où cette dernière semble être le fait de l'autre. Une des particularités de l'anaclitisme, c'est cette capacité de se générer une appartenance à partir d'un vécu dans le temps. Vivre une réalité la rend nôtre jusqu'à un certain point. L'expérientiel draine une osmose à ses réseaux proximaux. Le phénomène se filtre à un niveau non-conscient et c'est souvent la suppression de l'appartenance qui nous la révèle (en termes de manque psychologique ou de symptômes physiques).

L'anaclitisme est une adhérence affective qui ne nécessite pas d'intégration cognitive. Elle imbibe la familiarité du quotidien. Elle se concilie facilement avec les rôles qu'elle imprègne de son sens. Elle laisse l'illusoire à certaines de ceux-ci d'en être dégagé et remplit les autres de sa nécessité. Ainsi, elle n'est pas toujours reconnue et facilite le fonctionnement dit «à tiroir». La même personne pourra être foncièrement contre la violence mais, pour défendre sa patrie, elle fera son devoir homicidaire. De même façon, au quotidien, on pourra se révéler «coriace» au travail et relativement «bonasse» à la maison.

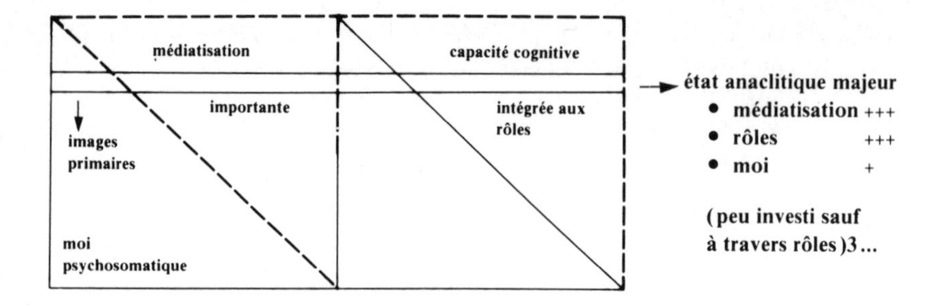

B) La dépression

La dépression constitue la perturbation par excellence de l'état anaclitique investi. C'est l'illustration d'une brèche importante qui se crée dans l'aménagement du SOI. C'est fondamentalement une perte, la perte d'un morceau de SOI, d'une partie de l'individualité investie à l'extérieur. Ce qui, dans la médiatisation, est ainsi le plus fréquemment bouleversé, c'est l'attachement à l'autre, un lien social fondant le sens d'être.

De tout temps, quelles que soient les techniques, on a toujours répondu à la dépression par une présence, une relation qu'on dit thérapeutique, en fait par un remplacement d'appartenance. Qu'on utilise la diffusion affective, l'impact du mythe (thérapeute), l'agir opératoire ou instrumental, l'ensemble vise une réinsertion sociale : les rituels et le temps du deuil, c'est l'espace usuel à l'évacuation du passé (travail de deuil), au senti du vide et à une nouvelle appropriation sociale (temps qui structure de nouvelles appartenances). La dépression exprime cette souffrance comme excessive et force un réaménagement social accéléré. Le dépressif fait rarement des deuils mais répond au remplacement relationnel (dans la grande majorité des cas).

C'est un fait culturel que les femmes ont recours aux consultations trois fois plus souvent que les hommes pour des raisons dépressives. Le rôle de la femme dans notre culture consiste souvent à exprimer l'attachement. Cette dimension leur devient donc plus significative. Elles exprimeront plus facilement les souffrances qui peuvent y être inhérentes. La dépression est une forme expressive. Ce qui ne veut pas toujours dire que c'est leur propre dépression qu'elles dévoilent. Souvent, elles traduiront le malaise de leur collectif ou de leur conjoint par le rôle communicatif dont elles ont l'habitude de s'investir. Il n'est pas sans intérêt de constater que, à l'inverse, chez les thérapeutes qui répondent à l'anxiété, il y a trois fois plus d'hommes que de femmes.

La dépression révèle une perturbation de l'espace de SOI, un déséquilibre du réseau d'appartenances. La personne qui l'exprime n'est pas nécessairement celle qui est à l'origine du déséquilibre ni celle qui en sera la plus touchée. L'expression du malaise est aussi une forme d'agir sur l'environnement dans un processus action-réaction pour rétablir l'équilibre du système. L'utilisation de l'appartenance thérapeutique n'y est pas toujours pertinente. On peut utiliser le thérapeute pour faire taire une souffrance qui remet en question des gestes posés à un autre niveau. On peut utiliser l'intervenant pour maintenir un équilibre et éviter une rupture naturelle. Les valeurs du thérapeute peuvent se révéler dissociantes pour le type d'équilibre du réseau social en question. Le refus de traitement de part et d'autre est parfois moins souffrant. Au niveau d'un groupe social, le surdosage d'intervenants peut correspondre au maintien de la morbidité.

La dépression exprime aussi des difficultés d'équilibration aux principaux moments d'adaptation. Jusqu'à un certain point, elle peut être une phase inhérente à une meilleure adaptation. Court-circuiter le processus ou favoriser un remplacement agit comme fonction stabilisatrice négative. La dépression révèle la désincarnation d'un attachement. Elle questionne ce dernier comme appartenance fondamentale. L'impact excessif du réel extérieur qui atterre un conjoint détruit les appartenances dans une société souple. Par ailleurs, la rigidité excessive des mêmes appartenances étouffe des modulations individuelles plus satisfaisantes.

C) L'agir

La structure anaclitique convient particulièrement au projet social. Son besoin fusionnel le fait adhérer de façon inconditionnelle à une démarche idéalisante. Sa diffusion non-cognitive lui fait entériner les rôles (plasticité à la division du travail) qu'on lui soumet pour le bien de l'ensemble. Son appartenance se consolide du fait de sa participation dans le temps. Le projet devient lui-même, un peu son milieu familial. Il saura soumettre son besoin personnel au bien collectif. Il s'alliera facilement à un leader ou sera lui-même leader s'il est capable de diffuser la sensation d'appartenance.

Leadership : forte capacité du SOI de diffuser de l'appartenance.

Le besoin de vivre des autres rend moins significatif le processus d'intériorisation, l'investissement d'une imagerie personnelle dans une recherche d'identité. La pensée narcissique cède le pas à une mentalisation en fonction de l'interaction. L'identité se développe dans un rapport concret aux autres. Le rôle situe une valorisation immédiate qu'entérinent les gestes quotidiens. L'agir l'épanouit. Il est peu capable d'attente. «L'occupationnel» lui permet une saturation perceptive qui, de façon paradoxale à certains niveaux, lui facilitera une attente indéfinie. L'action est sa source d'équilibre et de fait toute sa mobilisation de sens. En cas de dysfonction, c'est au niveau du geste qu'on pourra la percevoir.

On a déjà traité de la dépression où l'agir perd son sens dans la rupture de l'attachement. Nous poursuivons ici avec le geste suicidaire, l'agir phobique, l'action délinquante et les comportements de consommation excessive.

1) Le geste suicidaire

La perspective sociale véhicule la mort de façon différente de la perspective individuelle. Mort et vie constituent un cycle écologique naturel. La dramatisation de ce fait ne peut être la même. La réflexion individuée se confronte difficilement à cette limite. Elle se développera des mécanismes d'évitement (angoisse de castration au niveau psychologique, hypertrophie des soins de santé dans son aspect politique...). Le vécu anaclitique ne procède pas de la même angoisse. Ce qui importe, c'est l'autre ou la position de sens (rôle) reconnue par les autres. L'angoisse de mort est celle de l'abandon.

- angoisse de castration : aménagement de l'angoisse de mort dans une dynamique individualisée
- angoisse d'abandon : aménagement de l'angoisse de mort au moyen d'une substitution au besoin social

Le suicide est toujours un geste positif, la solution la plus saine que pouvait envisager le sujet. Pourquoi le champ cognitif ouvre-t-il cette perspective ? C'est que le sens du vécu ne peut se concevoir dans les limites affectives perçues (rupture, extinction ou atrophie). L'agir suicidaire, de façon générale, correspond à une perte au sein d'un soi (réseau d'appartenance) qui se trouve ainsi déstructuré à un tel point que l'individualité n'a plus d'assise satisfaisante (trop souffrante). Durkeim a démontré que les variations du taux de suicide suivent les changements sociaux. Plus il y a instabilité, plus les suicides sont fréquents. Plus les réseaux d'appartenance sont en bouleversement, plus le SOI se déstructure. L'accentuation de la mobilité de l'attachement dans un collectif amplifie le temps d'évidement (temps entre remplacement) des appartenances, ce qui se traduira de façon statistique par l'augmentation des gestes suicidaires. La structure anaclitique a peu de capacité d'attente, en particulier si la dysfonction dépressive court-circuite l'agir quotidien.

Pour une société, la mort est une valeur relative. Selon les temps, les positions seront rigides ou souples. On peut penser aux «hara-kiri» des japonais ou aux martyrs de la première chrétienté. Avortement ou euthanasie sont des gestes qui varient avec le besoin social. La culpabilité est évidée de même façon que l'homicide durant une guerre. L'humain ne peut faire face à ces réalités que dans l'adhésion à des positions-rôles où intensité affective et froideur concrète sont aussi accessibles. À la limite, le même sujet impassible devant un massacre pourra pleurer sous l'effet d'une attention affectueuse. C'est l'anaclitisme qui s'incarne et fonde les lois du SOI. C'est ce qui rend possible la mobilisation suicidaire.

2) L'agir phobique

Le comportement phobique consiste à éviter l'angoisse diffuse en utilisant un schème cognitif pour la circonscrire, un peu de même façon qu'habiter un rôle permet de se situer.

- anxiété : angoisse diffuse
- peur (ou phobie) : angoisse circonscrite à une image cognitive

L'angoisse est intolérable. Plutôt que de s'y confronter et compte tenu de l'incapacité d'attente, on utilise des images qui peuvent la canaliser en peurs. L'obsessivité représente l'état extrême de cet évitement où l'on utilise la compulsivité à travers les rituels pour circonscrire dans des patterns gestuels la montée anxieuse.

- phobie : image cognitive qui tend à circonscrire l'angoisse dans une peur (analogie au rôle)
- obsessivité / compulsitivé : pattern répétitif qui tend à circonscrire l'angoisse dans un mécanisme opératoire (action).

Tout agir phobique prend racine dans cet état anaclitique de diffusion qui ne s'appréhende que mal de façon cognitive. L'angoisse à ce niveau en est une d'abandon. Elle origine de la «signifiance» excessive des appartenances et / ou de la vulnérabilité du MOI psychodynamique. Le flou de ce réseau (diffusion affective) permet la circulation et la transmission facile du pattern. Ainsi, dans la phobie scolaire, le malaise se reconnaît facilement comme le lieu commun de l'enfant et des parents. L'un et l'autre appréhendent mal cette distance et la confrontation extérieure (séparation). Le phobique a un intense besoin de familiarité (SOI) pour trouver son aise. Autant son angoisse et l'agir réflexe conditonnent ses peurs, autant l'affrontement graduel (processus de familiarité) utilise le conditionnement thérapeutique dans le sens inverse. La morbidité tend à l'appropriation excessive de l'appartenance. Le gestuel phobique agit sur l'environnement pour annuler la distance. L'évitement cognitif est une proximité affective. C'est une forme de contrôle et de renforcement de la stabilité de l'espace fusionnel.

L'appartenance excessive court-circuite le flux énergétique entre la fusion et l'individuation. Elle draine une appréhension de plus en plus vive des processus de différentiation. En parallèle (et de façon concomitante), le MOI psychodynamique est entravé ou handicapé dans son développement. Sa fragilité ne lui permet pas d'intégrer de façon satisfaisante la mort liée aux impasses et limites cognitives. La fébrilité phobique, c'est la turbulence cognitive piégée dans une liaison énergétique instable. On cherche la compensation par la diffusion affective (évitement, rapprochement de la phobie) ou par l'affrontement contre-phobique (jeux de vertige, par ex. : conducteurs de course automobile) : tous les deux sont des mécanismes d'intégration de l'angoisse de mort. L'anorexie mentale de l'adolescent illustre à la limite un tel processus simultané.

Plutôt que de se vivre comme adulte, dans des perspectives d'éloignement du milieu-mère et de différentiation (la sexualité en sera la forme la plus concrète), l'adolescent (plus fréquemment la jeune fille) refuse la matérialité du vécu au profit d'une conception mythique de l'intensité (trip). La déprivation (jeûne), de façon analogue aux disciplines nirvaniques, fait vivre une «élation» d'essence fusionnelle ou religieuse (spirituelle). Elle dépouille d'un désir souffrant pour atteindre une accalmie euphorisante, laquelle, dans les cas extrêmes, atteint au mysticisme. L'évitement phobique de la nourriture induit une récupération fusionnelle (appartenance significative +++) dont la mort bienfaitrice est partie entière (affrontement contre-phobique). L'agir phobique supplée au déficit du SOI (par excès ou carence) qui se cherchera sans cesse une appartenance sécurisante, fut-ce dans la mort. La meilleure intervention dans l'anorexie consiste toujours en une coupure ou distanciation extrême du milieu familial. La délivrance de cette attraction excessive ouvre un espace de mobilisation, de jonction éventuelle à des appartenances plus en équilibrées.

Si l'excès anaclitique ouvre sur la mort, c'est qu'il l'aménage de la façon la plus sereine. L'anaclitisme intègre le mieux le processus mort-vie. La maladie physique et les phases terminales influent au niveau des dynamiques individuelles à rendre plus significative l'amplification du rôle et la diffusion de l'appartenance. Il fait partie de notre sens social d'assister nos «mourants» dans leurs derniers instants. C'est au SOI (gens de l'appartenance) d'exprimer la perte et de permettre ainsi à l'individualité de se résorber dans cette fusion initiale qui l'a fait exister. L'alpha rejoint l'oméga. Celui qui peut s'investir dans un rôle ou se dégager des limites immédiates du réel recrée une aise, une délivrance, un flottement homéostatique (sans attente). Le renforcement de l'appartenance proximale correspond à cette diffusion qui constitue l'analgésie normative à cette dissolution finale (naissance inversée: oméga). L'agir phobique révèle une appartenance insécure qui n'a pu intégrer le processus cognitif des limites dans des réaménagements satisfaisants du SOI ou du MOI psychodynamique.

3) L'action délinquante

La délinquance s'inscrit usuellement dans un aménagement culturel appelé adolescence. Cette néoformation des sociétés plus évoluées a permis de mettre en relief une sous-classe d'individualités mal assorties aux normes prescrites. La dysfonction sociale en regard des appartenances normatives révèle plus tôt ce que la criminalité évoquera plus tard à savoir l'alternative de SOI(s) compensateurs d'équilibre.

De l'ensemble des appartenances qu'intègrent une société, il en est un certain nombre qui ne sont intégrées que par une pression de conformité. On dira que le délinquant agit le besoin d'un parent. Le SOI qui se forge autour d'une individualité et la texture même de cette dernière (limites) se révèleront peu compatible avec l'intégration sociale. Le besoin du geste et de la satisfaction immédiate demanderont des appartenances à la fois plus souples (évidemment de la culpabilité) et plus rigides (loi du milieu, de la gang). Le vécu polarisé à l'encontre de la loi ou des «bien nantis» structurera une appartenance gratifiante de l'agir que la modulation culturelle tend à refréner. L'adolescent est un être biologique (ou femme). Plus son actualisation est concrète, plus ses appartenances relèvent d'une conformité «officieuse» ou officielle, plus il résoudra son malaise d'être dans des agirs qui atténuent sa tension au sein d'un anaclitisme adapté à son besoin.

L'opposition usuelle de l'adolescence trouvera des milieux marginaux d'appartenance alternative pour se distancer du milieu-mère. Cette confrontation d'identification (voir chapitre sur champs polarisés) se distinguera de la structure délinquante par son apparition tardive. La dysfonction dite caractérielle apparaîtra beaucoup plus tôt, en particulier dans la socialisation et les apprentissages à l'école primaire.

4) La consommation excessive

La consommation est partie intégrante de notre programmation sociale et culturelle. Vivre comme les autres, c'est, au plus profond de nous-mêmes, vivre des autres. Dans notre culture, le focus est mis sur l'individualité. C'est sa réussite qui s'exprimera à travers une capacité d'appropriation toujours plus grande. On ne peut plus attendre. L'obésité, c'est l'image concrète de cette surstimulation des besoins immédiats. Le sens de la propriété, la richesse ou l'acquisition constitue la boucle rétroactive au pattern. Pour consommer, il faut produire le travail équivalent.

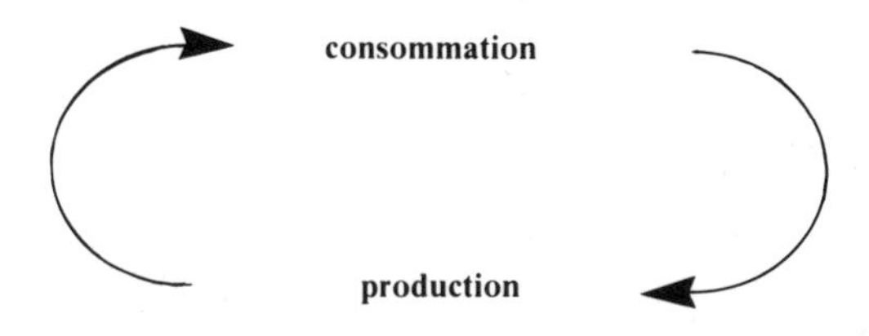

Selon le principe anaclitique, l'individualité qui vit de sa diffusion à l'autre se trouve paradoxalement à adhérer à des rôles individués ou son manque de limites forgera sa morbidité dans l'obésité, le crédit ou une hyperactivité contemporaine de nombreuses maladies psychosomatiques (en particulier cardio-vasculaires). La dérivation de l'attention sur les besoins individuels amplifiera la consommation de soins en santé sans que la morbidité en soit très modifiée. Ce qui est amélioré à un niveau est annulé à l'autre. Le même comportement qui pousse à la consultation procède d'une dynamique qui structure le stress et la décompensation inhérente. L'agir de consommation est une adaptation sociale malsaine qui restitue à la mort ce que l'illusion cognitive de la productivité et de l'avancement scientifique nous avait apporté. Un système tend toujours vers son équilibre et «l'écologie humaine» l'exprime par la dialectique mort-vie.

APPLICATIONS
La Sociologie Affective

A- Le rythme fusion-individuation

La sociologie s'est toujours montrée très prudente vis-à-vis de la réalité affective. Prenant son essor avec la montée scientifique du siècle dernier, elle s'est astreinte à une méthodologie rigoureuse, à un dégagement des stimuli médiats et envahissants, à une mise à distance nécessaire et inhérente au développement du processus cognitif. La multiplication des techniques a favorisé de même façon la pluralité des données jusqu'à créer une nouvelle science à même de les traiter, soit la cybernétique.

Ce développement qui multiplie les compréhensions possibles a galvanisé les efforts et les investissements de même a-t-il mobilisé la cohérence du milieu (si elle avait encore besoin de l'être) à entériner la valeur ségrégative du factuel, héritier du perceptif et des structures de connaissance. Or, ces deux vecteurs ont leurs propres limitations. Nous les mentionnons ici pour mettre en évidence une règle qui nous semble fondamentale pour illustrer la distorsion que l'affectif maintient en regard du cognitif.

«Si l'on considère un champ perceptif où individus et groupes sont appréhendés de façon unitaire (chacun, une entité), les données se multiplieront avec la densité de la population dans le sens d'une progression géométrique. Au contraire, si la qualité affective se présente avec un caractère imprégnant-imprégné (diffusible), dans la même mesure, elle ne peut alors être appréhendée dans le sens nécessaire de cette potentialisation numérique.»

Nous pourrions ainsi reprendre à d'autres fins l'argumentation de Durkeim sur la densité démographique comme «axe de gravitation du social». L'amplification des interactions sociales (par l'augmentation stricte du nombre d'individus) est la source même (facteur majeur) du développement cognitif accéléré, donc de la production de toutes les entreprises de structuration de l'activité humaine (économique, culturel, etc...). Cependant, il n'en est pas de même de l'ordre affectif qui, s'il subit souvent la mobilisation du cognitif, y échappe parfois vu son antériorité vitale et sa globalité existentielle qu'aucun embrigadement ne réussit à «réaliser» parfaitement. Les tentatives sont multiples d'essayer de réduire l'affect de chacun à une démarche unitaire de cohérence pour se situer au sein d'un interactionnel logique; que ce soit au niveau de l'évidence corporelle, de l'œdipe freudien ou du rôle social fonctionnel. Le caractère expansif de l'affect dépasse à l'occasion ces cadres (ou n'y entre pas) pour créer le marginal mais aussi l'imprévisible.

En somme, dans la mesure où le cognitif ne peut englober parfaitement l'affectif, ce dernier a un impact qui peut s'exprimer par la marginalité, l'événement inattendu, voire une élaboration conjointe même si non intégrée. Il existe un mouvement affectif social qui encaisse les scories de l'expérience de planification collective et permet par la suite de la dépasser par sa remise en question. Il existe peut-être aussi un mouvement propre au chevauchement de l'affectif et du cognitif que nous essaierons maintenant de préciser sous la forme d'une dynamique pulsative, soit l'équilibre instable ou dynamique individuation-fusion.

On peut donc résumer en trois parties cette approche des processus affectifs :

a. les affects intégrés et remaniés à travers une consolidation cognitive;
b. les affects qui, vu la contingence même du cognitif, échappent à cette structuration
c. le fondement existentiel de cette double réalité (a-b), soit le mouvement individuation-fusion propre à la vie.

Si nous considérons l'affect comme la pulsion vitale de l'homme dans sa relation à l'Autre, la sociologie affective doit s'attacher à saisir le Mouvement inhérent à l'organisation collective qui fonde son élaboration du moment mais qui, en même temps, dessinera celle à venir. Cette vie du «social» impliquée par cette mobilité constante, on l'appréhendera de soi dans des contextes de transformation et, de façon plus facile, au niveau de manifestations en apparence destructurantes : phénomènes de crises, événements sociaux épisodiques, modes, mouvements charismatiques, explosions spontanées, mobilisation générale réactionnelle, utopies, désirs, aspirations, manifestations idéologiques...

Lorsque ces événements émergent du vécu social, ou bien ils provoquent une inquiétude justifiant une demande d'interprétation et d'exorcisme adressée au sociologue (comme il en est du psychiatre pour la folie), ou bien ils sont pris pour acquis (mobilisation générale en temps de guerre) malgré les paradoxes induits par le changement soudain de la grille d'interprétation. Ces décalages n'en seront plus si on comprend la relation sociale comme le produit d'un double mécanisme d'adhésion soit le consensus comme partage d'un vécu et le contrat social en tant que modalités de cette mise en commun ; l'un qui fonde le collectif, l'autre qui en exprime la gestion. Le consensus est un déterminant affectif fusionnel, le contrat, une élaboration collective d'unités ou d'individus.

Cette dialectique fusion-individuation présente à la psychogénèse de l'homme, nous semble se reproduire dans sa sociogénèse, donc dans la puissance générative même de tous les types d'organisation sociale qu'il peut produire, quel que soit le discours idéologique. Ce dernier ne représente en fait qu'une modalité de gestion, c'est-à-dire une manifestation cognitive de cohérence temporaire au profit d'un pouvoir acquis ou désiré. On l'utilisera autant dans une perspective consensuelle que contractuelle selon la nature et la situation qui seront déterminées par la position du collectif dans le continuum dynamique Fusion-Individuation.

B- Le groupe social

Pour expliciter cette notion, prenons comme exemple le cheminement d'un groupe théorique. Supposons un regroupement restreint d'individus mobilisés par un même idéal. Nous assistons d'abord à la phase euphorisante du partage affectif commun aménagé sous un prétexte symbolique. C'est le plus souvent quelques valeurs du système ambiant que ce dernier réalise de façon incomplète, paradoxe existentiel de limitation qui déclenche l'entropie par la réalisation d'un deuil face au grand consensus collectif et engendre l'individuation du groupe vers une autre entité, de nature fusionnelle, à même de redonner la plénitude à un nouveau consensus.

Cette revitalisation ranime l'expansion vitale et conduit vers une praxis «militantiste» de participation importante. La revendication et le vécu de groupe en sont le plus souvent les sources énergétiques. Toutefois, l'action doit s'organiser, se planifier. Les talents différents entérinent certains rôles et le groupe se structure en vertu d'un contrat social implicite ou explicite qui les conduira à la réalisation de leur projet. La mise en place progressive du contrat décale la participation de chacun, englobe peut-être les meilleurs cohérences mais laisse une marge de réalisation individuelle ineffective.

En contre-partie, les valeurs individuantes se mettent plus en évidence et on s'achemine vers une élaboration relationnelle qui, souvent, est elle-même en contradiction apparente avec le consensus. Tant que ce dernier maximisera l'énergie, le groupe persistera de toute façon par la mobilisation conséquente à la participation. Sinon, sa survie sera fonction de l'intégration possible de cohérence avec le milieu ambiant. A ce niveau déjà, les gens ne seront plus les mêmes. Le plus souvent, le groupe se morcellera à partir du processus individuant, chacun se remobilisant vers un nouveau fusionnel, support de vie face à la confrontation de l'individuation avec la mort.

Durée d'un consensus proportionnelle à
- — la force mythique
- — l'institutionnalisation.

C- Les civilisations

C'est Arnold Toynbee qui, dans un essai comparé sur la naissance et la mort de plusieurs civilisations, y retrouvait certains facteurs communs : dégradation de la morale collective, invasion des barbares, naissance d'une nouvelle religion. Ce qui naît, c'est un consensus collectif appuyé sur une 'mythique' et qui rallie les éléments épars d'une civilisation à d'autres éléments hétérogènes extérieurs. Ce qui meurt, c'est le collectif morcelé qui a épuisé sa 'mythique' et ne sait plus revitaliser le consensus par l'investissement de la participation. La civilisation, c'est l'étalement complexe dans le temps (continuum) d'un même processus fusion-individuation que chacun réalise en soi dans son vécu quotidien.

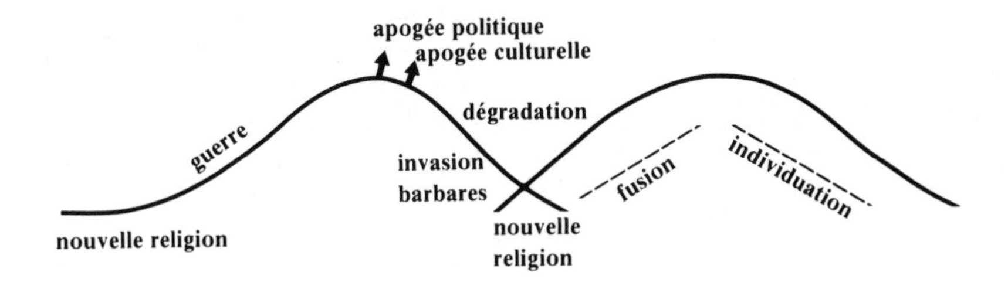

Le «social», c'est l'actualisation d'un des mouvements propres à l'écosystème humain, étant qui alterne à celui de l'individuation dans une pulsation vitale de survie. Les processus affectifs véhiculent une même dynamique à l'encontre de l'inertie et de la mort quelle que soit l'importance numérique d'un collectif, qu'elle que soit sa dite maturité évolutive. C'est, en ce sens, un continuum égalitaire qui ne se vit pas en termes de pouvoir mais en fonction d'une mobilisation continuelle. Ils fondent de façon intrinsèque la participation comme action de vivre et la valeur humaine comme identique en chacun.

Aucun système social ne peut se maintenir sans la participation de ses éléments suivant les modalités induites par le projet collectif. Le développement contractuel qui introduit le paradoxe (limitation inhérente au cognitif et en décalage des valeurs idéalisées) crée plus ou moins un vécu de «double bind» aliénant susceptible de favoriser une certaine stase de ce que l'on appelle la majorité silencieuse. Ce sera la position passive normalisée, flexible aux structures de pouvoir. L'impasse culturelle inscrite au niveau du soi maintient l'ambivalence existentielle propre à rendre chacun vulnérable à la culpabilisation, laquelle est d'autant plus figeante que le projet individuant est avancé en terme de valeur et sans issue dans l'actualisation usuelle (illusoire battu en brèche par le dépassement continuel qui est nécessité par ex.: société de consommation).

L'issue qui dégage du paradoxe ne peut-être qu'un «acting» en tant que répudiation affective d'un étant immobilisé. Il peut être dans le sens de l'inertie (surdéveloppement de la passivité) comme dans la résistance passive ou le phénomène des «drop-out». On le retrouve dans la position hyperactive, soit comme remise en question globale : restructuration d'un projet social, révolution, anarchie, nouvelle religion, etc...; soit comme rejet des moyens définis: nous pensons ici aux fraudes, usurpations, marché noir, bureaucratie rigide, exils, purges, asservissements, etc...

D- La religion et la famille

Si on s'interroge sur les structures de participation de notre société, on peut, entre autres, s'attarder sur deux institutions qui nous semblent fondamentales. En premier lieu, la religion : présente à l'origine même de notre civilisation, dont la 'mythique' consensuelle contenait dès le départ l'instance individuée, compte tenu du fait que l'effort collectif, par décantation progresive, en a aidé la réalisation. Max Weber, dans une thèse bien connue, a déjà postulé une relation analogue entre religion et économie (l'éthique calviniste et le capitalisme). L'exercice religieux a toujours fait appel de façon systématique à la participation, autant par la ferveur affective que par la culpabilisation (quand ce n'était pas par d'autres formes de violence.). Elle a solutionné de façon magique l'impasse de l'individuation par la recréation du fusionnel après la mort : le paradis (l'alpha et l'oméga se rejoignent et bouclent le cycle).

En second, comme lieu essentiel de participation, nous pensons à la famille dont l'amplitude numérique restreinte a favorisé l'endiguement des diffusions affectives vers l'enracinement en des rôles précis et conséquents à ses propres modalités structurales. À ce niveau, la polarisation des rôles et le décalage des statuts ont nettement induit l'hypertrophie d'un événement biosocial (génitalisation) pour l'aménager de façon conflictuelle au sens du «psychique» (œdipe) et contraindre de la sorte à la reproduction de cette unité sociale. Le conflit dramatisé face au père place l'individu dans une situation paradoxale (double-contrainte) car il est écartelé entre deux rôles différents et successifs qu'il doit assumer. Comme nous l'avons mentionné plus tôt, une telle ambivalence existentielle ainsi créée maintient la stase (énergie épuisée dans le ballotement inexorable entre ces deux positions), donc la reduplication structurale de ce type de groupe restreint dit «nucléaire» (et aussi de la limitation de la diffusion affective).

En somme, les processus affectifs s'inscrivent dans un continuum fusion-individuation tant au niveau de l'individu que du collectif. Ils fondent l'actif consensuel qui initie et maintient la vitalisation du groupe au sens de la représentativité vécue comme valeur de mouvement et d'égalité. Ils s'intègrent à la mobilisation individuante au sein d'une négociation contractuelle et d'aménagement du pouvoir, c'est-à-dire d'une praxis d'efficacité sur le réel. On retrouve ces modalités dans les diverses institutions mais il en est deux en particulier où l'aspect consensuel est privilégié en tant que processus de participation affective à caractère plus diffusant, la religion et la famille. La modalité de la constitution familiale induit une amplitude de différence (conflit), donc de connaissance et de pouvoir mais respecte un certain champ fusionnel nécessaire à la vie où se façonnera de façon progressive une consistance d'être par imprégnation au milieu.

La Santé

En regard de la compréhension du système, la santé est un concept particulièrement pertinent. Il repose sur un ensemble d'équilibres d'un milieu interne à ces conditions externes, le tout au sein de processus rythmiques et cycliques qui se génèrent d'un certain ordre que l'on dira humain. En ce sens, le vieillissement et la mort sont des termes qu'implique celui de santé.

Il y a bien des angles sous lesquels on peut voir cet équilibre. Ce sont tous des vérités qui, hypertrophiées, rupturent l'homéostasie de l'ensemble. À l'inverse, on peut comprendre le tout dans une optique multifactorielle. Cette égalité ne rend pas compte de la dynamique de ces réalités. La vie ne serait pas sans microorganismes (bactéries...). Comment relier cela au phénomène humain? L'homme est un être biopsychosocial. L'intrication de ces facteurs sera la source de différentes sortes d'équilibres.

Prenons un mur en bois. Il y a des poutres, des planches transversales, un enduit protecteur. La poutre tient l'ensemble mais un défaut dans sa structure peut être compensé par l'amalgame des planches transverses. L'enduit qui protège le bois contribue peu à la solidité de la structure. Pourtant, c'est ce qui le protégera de l'humidité et permettra à l'ensemble de doubler ou de tripler sa durée. Le cèdre supporte mieux l'humidité qu'un autre bois mais la fragilité de sa fibre en fait un piètre matériau de construction. La hutte polynésienne répondra à un équilibre différent comparativement aux buildings modernes (ce qui va avec la culture...).

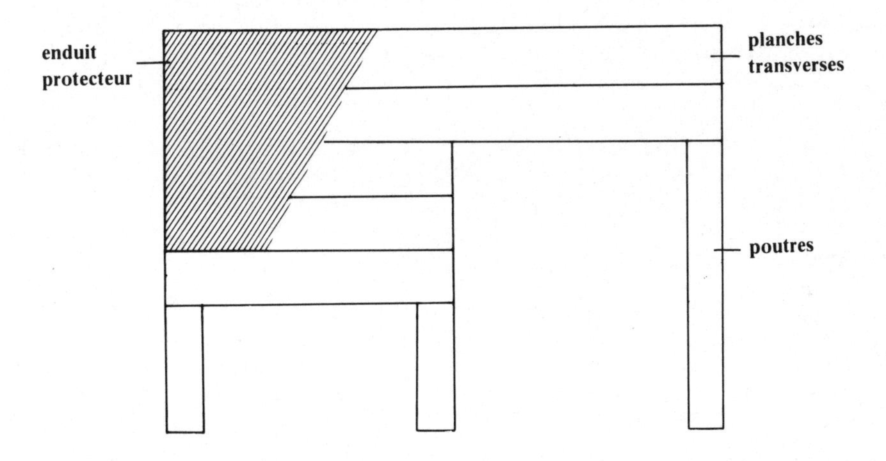

Dans le texte sur la sociologie affective, nous illustrions que les besoins fusionnels et individués varient avec l'époque de la croissance d'un collectif. Au niveau des valeurs occidentales actuelles, la croissance individuée semble être une norme. C'est sous-estimer les besoins fusionnels et les limites des gens. Pour la plupart, cette croissance ne pourra se vivre qu'en termes de rôle individué dans une médiatisation fusionnelle bien dissimulée (consommation, médiatisation de sectes... ex. le cénacle psychanalytique, hyperactivité d'appartenance...). Ce déséquilibre se traduira par le maintien de la morbidité malgré l'investissement considérable qu'on en fera: désarroi existentiel et suicidaire, pathologies cardiovasculaires et psychosomatiques. Les morts sur la route remplacent les épidémies d'antan.

Néanmoins, le contexte culturel force à vivre selon un aménagement plus individué. Au niveau d'une relation thérapeutique personnalisée, une certaine croissance reste de l'adaptation nécessaire. Il ne faut cependant pas être dupe des besoins d'affirmation et, si cette croissance ne fournit pas une médiatisation suffisante, il faut resituer la personne dans un existentiel qui puisse faire sens. La santé, c'est un équilibre complexe d'un milieu interne avec un environnement particulier.

Les Interventions de Réseaux

A- Notion de réseau

Un vécu qui nous a marqués durant l'élaboration de ce livre, c'est notre participation à la mise en place d'une clinique psychiatrique. Cette dernière devait répondre à toutes les demandes et besoins d'une population vivant dans un secteur géographique, celui environnant l'hôpital Jean-Talon. Plus précisément, notre apport s'est concrétisé au sein d'une équipe multi-disciplinaire apportant des soins à toutes les variétés cliniques de patients qui s'adressaient à nous : anxiété, dépression, difficultés de comportement, dissociation, somatisation... / Et, une particularité peut-être, notre approche se définissait comme globale, c'est-à-dire ouverte à la consultation simultanée en psychiatrie infantile et adulte ; de même se voulait-elle sensible aux facteurs du milieu et aux autres intervenants (objectifs de l'ensemble de la clinique). Cette expérience a été pour nous très enrichissante, et même si nos interventions se sont faites à tous les niveaux (individuels, couples, familles, réseaux...) et dans toutes les optiques (pharmacologiques, de support, analytiques, interactionnels, fusionnels, ...), nous nous sommes de plus en plus orientés vers une compréhension sociale de la maladie et une pratique conséquente.

Il importe d'abord de clarifier que l'utilisation du terme réseau n'a rien en commun avec l'emploi qu'en ont fait certains auteurs, tel Speck. Il s'agit davantage pour nous d'une compréhension dynamique du processus social, donnant accès à de multiples techniques d'intervention contrairement à la conception déjà amorcée où il s'agit davantage d'un processus thérapeutique particulier.

Nous avons défini dès le départ *le terme « RÉSEAU» comme équivalent énergétique d'un collectif*, structure et mouvement qui dépasse les individualités de par la diffusion affective qui crée le «social», permet un moule d'enracinement existentiel et conditionne de la sorte l'équilibre fusion-individuation qui préside à la mobilisation de la vie.

Nous avons retracé autant à l'intérieur des individus que des collectifs la présence d'un SOI qui est lieu des imprégnations et de la diffusion affective, du mouvement et, de fait, de l'agir véhiculé par notre prédétermination. Nous avons reconnu la formation du MOI en relation avec l'élaboration cognitive de la pensée et de la réflexion, au pouvoir relatif ainsi acquis sur la gestion de notre réalité, à l'accommodation qui peut en résulter; mais aussi avons-nous évoqué un certain scepticisme à propos de possibles changement autres que structurels, ne concevant d'ailleurs ces derniers que dans un continuum d'imprégnation ou réélaboration d'un soi aptes à favoriser la gestation d'un MOI plus autodéterminant.

Ce que divers auteurs ont dévoilé comme l'Inconscient individuel ou collectif ne nous apparaît que comme cette structure prédéterminante issue de la diffusion affective et des imprégnations de base, biologiques, cognitives ou sociales : la tonalité de la réminiscence individuelle étant liée à la pulsion biologique et aux traces mnésiques, la réminiscence collective étant par contre marquée davantage par le flou de la diffusion affective, son mouvement induit, et les doubles-contraintes inhérentes au processus de cognition.

Inconscient individuel	pulsion biologique traces mnésiques des associations cognitives
Inconscient collectif	flou de la diffusion affective dans son mouvement élatif doubles contraintes inhérentes au processus de cognition

Associer ainsi des concepts, c'est déterminer ou inéluctablement choisir donc aménager un sens qui correspond à une certaine perte. Par ailleurs, associer des concepts, c'est multiplier les possibles, recréer l'élation infinie d'une récupération accessible, d'un non-manque (diffusant cognitif). Le processus cognitif réaménage par cette double contrainte structurale le potentiel affectif élatif au service du processus d'individuation.

L'identité tient à la fois de notre enracinement social et de notre différenciation au sein de ce même collectif. L'individu, c'est une entité soi-moi qui véhicule un univers dont il doit en fantasme s'extraire pour le perpétuer. Vivre, c'est concilier l'annulation de la distance et son aménagement au sein d'un équilibre pulsatif constant, la fusion-individuation. Il en est de même du collectif toujours aux prises entre son concensus et sa gestion. Si on comprend le groupe comme un ensemble d'individus en interactions, la complémentarité des rôles aménage la distance entre chacun et la similarité veut tendre à l'annuler. Par ailleurs, si on vit le collectif comme une entité, la complémentarité devient un «engramme» d'unité alors que la similarité des rôles ne peut amener qu'à une polarisation et à un aménagement de la distance au sens de sa gestion. *Il faudrait donc comprendre la nécessité minimale d'un double rôle inverse ou l'équivalent pour chacun au sein d'un couple/groupe dans leur réalisation d'être au monde ou d'être en relation.*

	Aménage la distance	L'annule
Interactions	complémentarité	similarité des rôles
Engramme fusionnel	Similarité des rôles	Complémentarité

Le diffusant affectif, ce sont ces «quanta» énergétiques qui mobilisent l'être dans sa poussée élative et vitale, laquelle s'enregistre en grande partie en fonction des déterminants biologiques et sociaux qui réalisent, de par leur inhérence existentielle, l'équilibre pulsatif fusion-individuation. La fusion exprime l'«engramme» où la distance est réintroduite au moyen d'entités déterminées qui impliqueront le mouvement, dont l'un focal, est celui de leur mise en relation et l'autre celui du plus grand ensemble qui se génèrera du besoin de l'annulation de cette même distance. Le processus d'individuation se réalise à travers les limitations qui contrent l'expansion affective. Un deuil conséquent s'ensuit et l'entropie est enrayée par les imprégnations cognitives qui se consolident en un pattern d'aménagement et d'adaptation au service d'une récupération élative individuée.

Comprendre un réseau, c'est saisir son mouvement, le consensus ainsi véhiculé à travers le pattern de la diffusion affective. C'est retrouver la tonalité des schèmes structuraux qui y ont présidé. Comment les processus élatifs sont-ils canalisés et agis? Comment l'attachement fusionnel est-il réactivé en regard d'une menace ou d'un déséquilibre? Quelle consolidation cognitive est utilisée dans l'appartenance en regard des milieux de référence? C'est situer l'historique du vécu collectif et le type ou les façons d'être en continuité qui l'ont marqué. C'est retrouver la mise en présence, la contiguité à l'arrière des rôles, des normes et des valeurs qui en masquent ou en justifient le fait. En fait, c'est saisir le SOI ou la réalité existentielle de leur «être en présence».

Comprendre un réseau, c'est observer sa gestion, le contrat aménagé entre les individus au sens de leur réalisation et, en fait, le jeu interactionnel qui aménage la complémentarité des individus entre eux dans l'accomplissement de leur propre pattern. C'est faire ressortir le mouvement propre à chaque entité, les dynamiques issues qui tiennent aux forces respectives de leur soi-moi. C'est analyser ces deux vecteurs en chacun dans la mobilisation qui les crée. C'est situer leur processus d'individuation, de leurs limites et de l'utilisation du diffusant affectif ou des Autres pour contrer l'achoppement de la réalité, pour compenser les pertes et se situer constamment hors d'une confrontation au deuil.

La grille de compréhension d'un réseau, c'est le mouvement propre à un ensemble comme aux individus. Nous parlerons alors d'un «point de gestalt» comme vécu enregistré sur un parcours. Puis, nous situerons un «point de déséquilibre» comme rupture ou, au contraire, comme délimitation d'une adaptation marginale de survie. L'axe thérapeutique découlera de ces doubles points de vue au sein d'une compréhension de l'équilibre contingent de la fusion-individuation

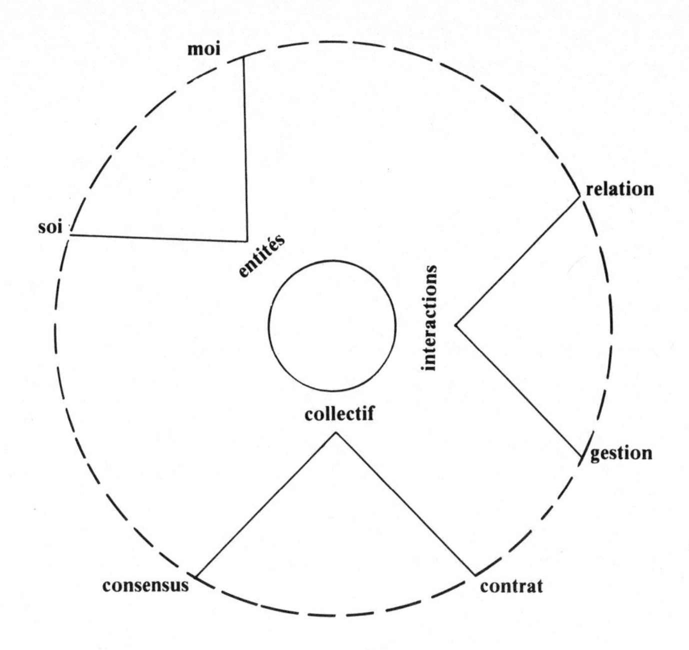

B- Les lieux techniques d'intervention

Nous allons maintenant situer certaines formes d'action susceptible d'être utilisées. Ce qui les caractérise, c'est qu'elles n'ont rien de «thérapeutique» en soi, qu'elles peuvent le devenir de façon relative quand on les met en action au sein d'une souffrance. Là encore, les meilleures humanistes auraient à ce sujet des positions inverses : la contingence du bien-être, à la limite, pouvant être aussi d'échapper à la délimitation de l'Autre. On observera que, pour la plupart, on pourrait les appliquer autant à l'individu (dans cette compréhension soi-moi que nous avons développée) qu'à un collectif de vie ou à un social plus élaboré.

1.- Les mises en présence

Le premier champ qui s'impose, c'est celui de la mise en présence avec toutes les modalités (continuité et contiguïté). Toute action concrète en ce sens a un impact considérable.

Parmi les mises en présence, pensons à celles-ci : le fait de la séparation, des rencontres cinq fois par semaine avec un analyste durant des années, la présence et le nombre des enfants au sein d'une famille ainsi que leur vécu dans des lieux plus ou moins vastes ; la nécessité des cohérences induites par une mise en présence (thérapie, dynamique de groupe,... mais aussi justification de son sort, de ses commettants dans le quotidien); l'impact du milieu physique et humain chez les alcooliques et les toxicomanes; la redistribution au niveau urbain des classes sociales où géographie et économie situent des souches d'appartenance et d'imprégnation,...

2.- Les schèmes structurels relationnels

Le second champ consiste en schèmes structurels de base. Ainsi, l'attachement qui se module au sein d'une famille prend des tonalités différentes dans un placement institutionnel ou dans un vécu collectif originel modifié (les Kibboutzim en Israël). Les récupérations élatives que favorisent la participation religieuse trouvent d'autres voies expressives quand cette structure s'effondre. De même on peut agir profondément sur une imprégnation en modifiant le vécu de référence. Pensons ici à l'utilisation d'une langue ou à la stricte vérification des préjugés appréhendés chez l'Autre.

3.- Les mises en déséquilibre

Si une situation (dévoilée comme pattern) nous est présentée à titre de problème, l'équilibre même des forces agissantes au sein du collectif peut être remis en question. Le débalancement induit force à une nouvelle homéostasie. On peut court-circuiter certaines valeurs, annuler ou agir sur l'exercice d'un rôle, forcer ou favoriser un changement des règles ou des normes, culpabiliser à l'occasion un pouvoir ou un mouvement afin d'en figer ou d'en limiter la portée. Par ailleurs, l'action sur la communication ou son processus a une valeur cognitive majeure sur la clarification et la précision des entités. Elle aide à situer le Moi et le contractuel de même qu'elle est le nœud de la saisie des interactions.

4.- Les mises en situation

Les mises en situation ont une empreinte suggestive majeure. L'utilisation du vécu aménagé vers une catharsis est largement employé en psychiatrie. Le processus le plus connu est celui qui va de la désintégration des formes de canalisation émotive actuelle vers une reconstruction d'un moule affectif aux caractéristiques généralement moins oscillantes. C'est en fait l'utilisation de la crise comme remobilisation. En ce sens, toute consultation initiale survient dans un tel mouvement et elle est le lieu le plus près possible du pattern qui appartient au consultant et à son social. Une fois la rencontre amorcée, le réseau se transforme et les thérapeutes en font partie. En tant que tel, ce vécu partagé est aussi la source de plusieurs modalités d'intervention en oubliant trop souvent la portée et d'un partage et de la part aménagée par le thérapeute.

5.- L'alliance affective

L'alliance affective est généralement l'investissement reconnu comme étant celui ayant le plus d'effet sur la mobilisation du sujet qui demande de l'aide. Qu'on l'utilise pour réaménager les divers canevas affectifs d'une mise en relation, qu'on s'en serve pour faciliter une confrontation, pour compenser temporairement une perte, elle est le lieu du mouvement vital énergétique, donc d'une resituation possible dans une variation de réseau ou de pattern. Cette alliance est toujours prédéterminée par la position respective des participants sur le continuum fusion-individuation.

L'alliance dite fusionnelle (à divers degrés) est le médium le plus efficace à une relation positive avec toutes les structures dissociatives.

L'apport sous une forme collective y prend d'autant d'ampleur qu'il porte en soi ce vecteur diffusant. Cette approche consensuelle de l'être souffrant tend à contrer les formes de répression que le contrat social doit induire pour sa gestion. La marginalité redevient normalité relative. L'aisance à être, sans qu'on se situe en rapport à, laisse une préhension ouverte à une renégociation d'alternative ou de remplacement. L'équivalence y est nécessaire à l'encontre de la perte tant et aussi longtemps qu'un ancrage ne sera pas donné à l'empreinte symbolique.

Une forme particulière d'alliance affective que nous avons utilisée est celle dite du «catalyseur». Nous dévoilons au départ et la gestalt et le point de déséquilibre d'un réseau. Puis, nous effectuons une mise en présence sur un certain laps de temps où tout le reste de la manipulation de la relation est laissé au réseau. La texture du tissu social souffrant aménage de lui-même un espace affectif d'alliance qui lui permet d'utiliser au minimum un «modeling» sur l'étant personnel du thérapeute, vrai ou fantasmé, qui est l'aménagement pratique partiel du dévoilement initial comme issue d'un mieux-être.

6.- La double contrainte structurante

Cet exemple illustre l'utilisation possible de double contraintes structurantes. La mise en présence qui s'appuie sur l'alliance affective force l'élaboration d'un sens. L'élation fusionnelle est réactivée par le mouvement qui est laissé au réseau et induit de la sorte une nécessaire positivité. Le dévoilement initial contre, par la culpabilité inhérente à l'attachement vécu actuel, tout sabotage dit inconscient qui résulterait d'une mauvaise information, communication ou d'une latitude vraiment laissée au sujet. Le modeling par mobilisation au sein du SOI est la seule forme alors possible d'un soulagement pour la part véritable de la souffrance qui constitue un malaise. On peut se demander si beaucoup de succès thérapeutiques ne procèdent pas en fait par des interventions analogues. La thérapie axée sur l'autonomie contraint le patient à un long processus de dépendance dont l'issue élative en est l'arrêt si l'alliance affective a été réelle : la capacité même de la séparation alors atteinte étant le prérequis des forces du MOI pour se soumettre à une telle thérapie.

7.- L'élation cognitive

Si un court-circuit à l'intérieur de l'imprégnation du soi laisse moins de chances à un MOI plus autodéterminant, on peut utiliser des remaniements structurels de même que des techniques qui font appel aux mouvements présents dans le passage d'élaboration du MOI à partir du SOI. Mentionnons ici toute l'élation du processus cognitif qui est fournie par les stimulations, la valorisation d'une réalisation, la reconnaissance, au niveau du corps, des pulsions et des empreintes affectives, la réussite des apprentissages, etc... À ce niveau, un mécanisme majeur d'affirmation se situe dans l'importante opposition en regard des personnes affectives signifiantes. Il existe une technique déjà connue d'utilisation de cette réaction soit «l'intention paradoxale». On renforce le pattern de mobilisation autonome en réactivant les pulsions agressives à son service.

8.- Le refus de traitement

Une autre modalité d'intervention est justement le refus de le faire. On peut le comprendre dans l'optique précédente mais sa portée est beaucoup plus considérable. Notre société développe de plus en plus de services et sape, de par son action, la capacité adaptative des individus au sein de leur social. Le refus de traitement réassure sur la normalité, revitalise l'action dans le milieu, dégage du biais de notre propre aliénation (les traitants). Il en est de même du problème de la confrontation qui est valorisée à notre époque, du mythe de notre toute-puissance et de celle d'une thérapeutique qui ne pourrait conduire qu'à un mieux-être.

9.- L'évitement

La fuite ou l'évitement ont une grande valeur de survie. Le stress de l'adaptation nécessaire et du changement n'est pas à la portée de tous, ni au même degré. Certains individus ne peuvent être renvoyés à eux-mêmes. Les structures «borderline» sont mal aménagées en terme de génitalisation ou d'affirmation-compétition car dissociées par les manipulations cathar-siques affectives liées aux conduites plus névrotiques. Leurs vécus (états limites) s'affermissent plus du fait d'une appartenance collective, d'un rôle prédéterminé ou d'une récupération élative magique. En ce sens, les meilleures techniques sont celles qui conduisent à l'abolition du désir (disciplines orientales et nirvaniques), au court-circuit du fantasme, à la modulation biologique et à l'ascèse de la maîtrise tensionnelle.

C- Les lieux dynamiques d'intervention

L'utilisation d'une approche spécifique nous semble fondée sur le type de déséquilibre qui amène la consultation en regard du pattern d'adaptation acquis. Le problème et la position prise révèlent les forces dynamiques de l'équilibre fusion-individuation en cette entité mise en rapport à un même continuum plus vaste. Le tout s'organise en gestalt, en mouvement issu de la force diffusante mais intégrant en même temps les jeux pulsionnels ou individués.

1.- La facilitation affective diffusante

Nous avons vécu, à un certain moment, un groupe de travail (20 personnes) au sein duquel quatre unités se partageaient la tâche. L'une d'elles mobilisait beaucoup d'affectif dans une idéalisation commune et un attachement important se vivait dans leur mouvement. La survie du collectif était fragile, la bataille pour le leadership importante. La cohésion nécessitée se produisit au niveau de l'ensemble lors d'un affrontement majeur mais elle fut de fait précédée d'une amplification affective de l'unité plus idéalisante et, en parallèle, de relations spontanées de couple entre les principaux leaders des trois autres unités et respectivement un membre différent de la première équipe.

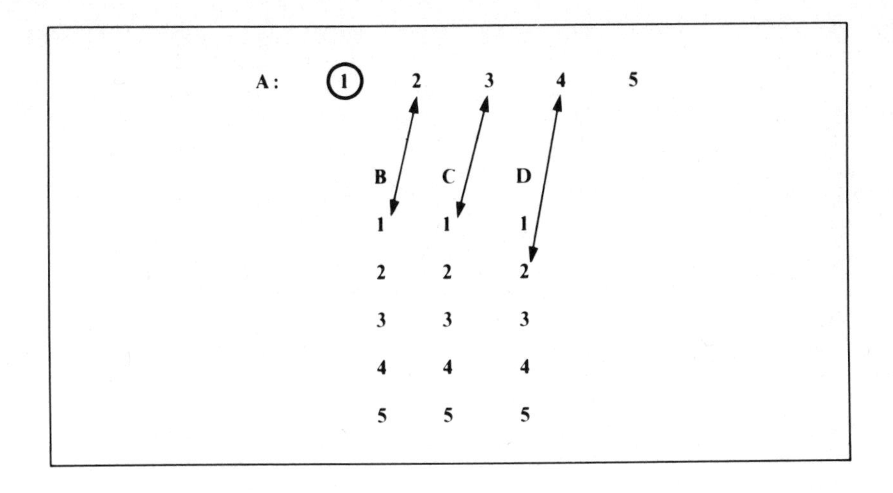

À ce moment-là, aucun autre relation importante de même type ne fut vécue dans le groupe entre les autres membres. Les trois relations de couple ne durèrent pas et, plus tard, le leader du groupe A, bien que très contesté, devint leader du groupe. Hasard, échanges de réciprocité, besoins individuels, cohésion collective...? La facilitation affective diffusante favorise la mise en place régulatrice des patterns se mobilisant de façon naturelle pour le consensus cohésif imprégné.

2.- L'espace indéterminé

Notre pratique nous a amenés à répondre à de nombreuses consultations en ce qui regarde les difficultés de couple. Il est facile de constater comment ce qui joue comme détermination (le quotidien, la polarisation sexuelle, les attitudes face aux enfants...) est majeur dans les achoppements à être ensemble. La réalité est limite. Le tissu social à deux doit récupérer l'élation pour se donner un sens. Pour ce, l'espace entre deux être doit rester en partie inaccessible. L'indéterminé structure l'élan vital d'être par l'espace qu'il lui accorde. La complémentarité des rôles n'a d'issue que dans les jeux sous-jacents qui l'annulent. Le rôle a un effet structurant dans la mesure où il se situe dans un univers comme existant et n'est pas une entrave à une issue fantasmée d'auto-détermination possible.

Le rôle d'être malade est, en ce sens, une entrave considérable surtout s'il est perçu comme dissociatif et qu'il a fait partie d'une reduplication cyclique. Nous avons eu ainsi en traitement une personne étiquetée maniaco-dépressive. Depuis cinq ans, au moins une fois ou plus par année, elle était hospitalisée de longs mois sous médication très forte. Il y avait eu dans le passé de multiples thérapies individuelles, familiales, de couple... Après étude du dossier, cette personne fut placée sous nos soins alors qu'elle était aux soins intensifs. Nous avons choisi à ce moment-là un traitement à domicile avec un arrêt presque total de la médication.

Le réseau familial comprend des grands-parents (à elle), des frères (vus rarement), un mari, deux filles avec leurs amis, une petite fille, deux fils. Nous ne détaillerons pas ici ce réseau car on ne veut qu'illustrer un fait. L'analyse faite nous amène à favoriser le départ d'une fille pour permettre à Madame de reprendre sa valorisation au foyer, à suggérer que le malaise peut être aussi part du mari (à qui d'ailleurs on offre une thérapie individuelle), à refuser pour elle une thérapie personnelle en favorisant son entrée dans un groupe thérapeutique de support. Depuis deux ans, cette personne n'a pas fait de récidive malgré le décès de son père et, par ailleurs, a un vécu stationnaire dans ses autres dimensions. La stratégie est celle d'une normalisation, de récréation d'un espace possible dans son milieu.

3.- La relativité comme sens humain

La contre-valeur fusionnelle et la remise au social d'un impact qui déborde et aménage en partie le mouvement individuel soulage d'une culpabilité intrinsèque. La relativité sous-jacente à la fusion-individuation questionne la vérité cognitive évolutionniste et revalorise tous les vécus humains en les rendant égaux dans l'accomplissement humain. Toutes les structures de personnalité et tous les patterns redeviennent position de normalité. La distance entre traitants et personnes souffrantes n'est plus lieu de pouvoir ou de répression car abolie par leur remise en présence en disqualifiant la mystification partielle de l'univers symbolique. Nous avons rencontré divers groupes lors de conférences. Nous nous souvenons d'un réseau d'un peu plus de cent femmes, déchirées entre leur émancipation et leur appartenance : leur participation collective les amenant au respect du bien-être de leur choix dans des alternatives opposées.

4.- L'opposition génératrice

L'application du cycle fusion-individuation permet de comprendre la régénération continuelle du collectif et la position structurelle fondamentale de l'opposition dans ce mouvement : la prise de pouvoir étant déjà l'amorce de sa perte de par l'adhésion cognitive contingente nécessitée et du manque conséquent. Le véhicule affectif peu à peu se déplacera vers un leadership plus marginal. La situation d'être à distance du pouvoir permet de récupérer la mobilisation affective qui ne trouve pas son élation dans l'aliénation cognitive en place. Le « leader paradoxal » est celui qui canalise ce mouvement vers le pouvoir mais qui se refuse à le prendre au moment propice pour rester vecteur élatif constamment sensibilisé à la souffrance humaine issue de toute gestion. Son pouvoir rejoint le pouvoir religieux car intégrateur de l'insatisfaction émotive jusqu'à sa canalisation dans un renouveau effectif.

L'opposition est un phénomène bien connu chez les jeunes enfants et les adolescents. Beaucoup y voient un des mécanismes qui favorisent l'individuation. Lors d'une déception, l'agressivité est canalisée dans un pattern d'adaptation qui se différencie et qui récupère la perte par le pouvoir acquis sur l'environnement. Peu à peu, le mécanisme est réutilisé dans un renforcement du MOI si le feed-back du milieu est le « constat » d'un impact sans éclatement destructeur. L'adaptation est un jeu d'équilibre dont la véritable force est celle d'être en harmonie à un ensemble. L'opposition veut se situer comme un «existant» et pour ce faire s'établit en rapport récriproque à un milieu. La polarité est le jeu d'un ensemble qui accepte l'étant affirmant comme modulation de son propre mouvement.

5.- Le champ social, vécu d'intégration des finitudes

Si le social peut être un lieu d'affirmation, il est avant tout un champ d'être et de coexistence. Il procède de l'élation et du deuil. Il camoufle dans la diffusion affective et la complexité cognitive un espace indéterminé, lieu d'élaboration possible et masque illusoire d'une cohérence à la mesure individuée. Sa texture se façonne des jeux multiples qui marquent l'adhérence de chacun. Son tissu obtient sa «coalescence» de ce plasma affectif qui imprègne les distorsions et les vides, les vitalise au sein d'une pulsation existentielle où le creux et le plein, le diffus et le déterminé acquièrent la même humanité car ils sont le véhicule indissocié d'une même réalisation et en fait sont la réalité.

Le corps, au sens tactile du terme, mobilise une grande partie de l'intégration diffusante au niveau relationnel. Que l'on pense au contact en termes de pression et relâchement, de chaleur, de senti comme création renouvelée d'une dimension où l'étalement physiologique produit dans le vécu biologique la tension du mouvement nécessaire entre «l'étant» et son espace.

Le champ social actualise la même variante (intégration diffusante relationnelle). Il est le lieu de son accomplissement dans une préhension focale, dans un jeu devenu relativement possible grâce à l'insertion d'une «finitude» inhérente qui puisse garder l'espoir continuel de se croire autre. Il se démarque par une plus grande manipulation de la distance, une gestion possible plus récupérative mais en même temps plus aliénante car trop facilement mise à distance, écartée sous le prétexte d'un vécu non concerné alors qu'il en est la modulation et le fondement mêmes. Il n'y a de sens à l'être que dans sa pulsation. Elle se véhicule dans son «humanitude» en laquelle l'existant rend compte de son étalement.

Nous terminons avec deux interventions qui illustrent ce champ humain où une «finitude» se manifeste en un lieu de vie.

D- Exemples cliniques

1- Le trou percé

La consultation initiale:

Paul se présente à l'urgence, amené par sa femme et deux amis. Il est en état de panique anxieuse. Il vient de laisser un nouveau travail aux Jeux Olympiques, à cause, dit-il, d'un problème de langue. Il est méfiant, insécure, sur stimulé par toute perception auditive; son discours n'a pas de continuité car il est à la merci d'associations qui lui évitent toute élaboration trop longue. L'angoise diffuse et semble l'envahir à tout moment. À cet effet, nous le rencontrons ainsi le lendemain de son hospitalisation.

L'histoire de Paul :

Paul a 26 ans. Il est l'ainé de cinq enfants. Sa mère est devenue enceinte tôt après le mariage. Vu une certaine asthénie chez Madame, le couple est revenu rester chez les parents de cette dernière où, de fait, Paul est né et a vécu ses premières années. Cette mise au monde est véhiculée par la mère comme un sacrifice, un risque mortel vu son état de santé. Il en a été de même pour les autres enfants. Madame a toujours utilisé son rôle de malade avec une vague faiblesse au cœur pour canaliser l'attendrissement et contrer l'agressivité qui aurait remis en question un pattern hystéro-phobique sous-jacent.

Monsieur a développée un alcoolisme qui est la contrepartie au contrôle exercé par sa femme. L'instabilité était conséquente. Les relations sexuelles et les contacts étaient pauvres : la maladie de Madame, la présence de la belle-mère qui surveillait, l'état alcoolique et absent de Monsieur, les conditions de logement (salon), la morale schématique et rigide du milieu. On note trois séparations majeures dans la petite enfance de Paul : une des deux mois à la naissance et vers l'âge de deux ans (naissance d'un autre enfant), puis une de cinq mois vers l'âge de cinq ans. L'enfant a toujours été gardé ailleurs (tante...) et on ne peut nous expliquer pourquoi, vu la présence actualisée chez les grands-parents et la mère en traitement à l'hôpital, il n'est pas demeuré sur place. Le souvenir des années de latence de Paul en est un de tampon entre ses parents et de « maternage » personnel vis-à-vis ses frères et sœurs.

L'adolescence se fixe à deux pôles : une amitié avec Marie (à partir de 12 ans) qui aboutira à une cohabitation puis au rituel du mariage, un vécu de groupe avec 7-8 amis qui fera culminer la plupart des agirs auxquels il se ralliera, entre autres la musique dont il s'imbibe comme plénitude élative. Le tout se maintiendra tel quel jusqu'à 26 ans sauf un épisode de deux-trois semaines, vers 17-18 ans, où Marie fait une fugue avec un ami, laps de temps où Paul s'enivrera constamment. Par la suite, le couple reprend, Marie travaille comme fonctionnaire (bureau) et Paul termine des études de premier cycle en administration. Il se trouvera deux ou trois « emplois » dont un seul sera d'importance en temps et en investissement, soit comme commis dans un magasin de disques.

Les participants au réseau :

Paul ; son père, alcoolique ; sa mère, asthénique. Ses frères et sœurs dont André et sa femme ; ses amis tels Michel, Robert. Jacques. Étienne...
Les lieux. Le café-campus. Sa discothèque. La taverne.
Les thérapeutes. Le psychiatre. Le sociologue. La psychologue.
La secrétaire. Une étudiante.
Le centre psychiatrique. Un groupe de jeunes psychotiques.

Le point de déséquilibre :

L'incapacité de fonctionnement dans le cadre d'un nouveau travail est rapporté au début comme fait précédant les difficultés. Il faudrait aussi souligner la perte antérieure d'un travail satisfaisant. On note la dislocation partielle du groupe d'amis dont un départ, un emprisonnement et un froid majeur venant de la part de Marie vis-à-vis André et sa femme (frère de Marie et membres centraux du groupe).

En parallèle, après une certaine stagnation au travail, Marie voit ses possibilités d'avancement se concrétiser. Le dialogue au sein du couple est plus dissocié et une mise à distance sexuelle s'effectue peu à peu jusqu'à une abstinence complète.

Point de gestalt :

Paul ne s'est jamais vu déterminé au sens d'une identité personnelle. Son existence même aurait pu entraîner la mort d'une personne aimée (la mère). Il a donc été tel que les autres l'ont modelé, c'est-à-dire tampon ou axe d'élaboration positive, nécessaire enracinement dans le rôle qu'on lui a défini. La symbiose mère-enfant au profit de ce dernier a été court-circuitée par la surdétermination du milieu à son égard.

Sa diffusion est conséquente. L'étalement affectif ou collectif lui est structurel. L'élation musicale ou la chaleur sociale sont ses vecteurs. Sa décompensation traduit le morcellement de son groupe d'amis comme la scission de plus en plus inéluctable de sa relation avec Marie. Il sent qu'il reproduit comme un décalque le pattern de ses parents. Il regroupe en lui-même et l'asthénique et l'alcoolique. Il doit donc refuser le rôle de malade ou le partager. Marie ne peut l'entendre ainsi. Elle a longuement attendu l'espace possible de son affirmation. Elle va l'actualiser. Le monde intériorisé devient valeur, le jeu intime symbolique, sens d'un épanouissement. Elle rompt avec les amis, investit sa démarche au travail et s'enveloppe peu à peu d'une modulation personnelle puisée dans une catharsis de repli très narcissique (secondaire).

Elle dit vouloir entraîner Paul avec elle et c'est le piège contre lequel il est impossible de parer. Ou il se laisse véhiculer et il ne peut vivre la même mobilisation (puisqu'il y a désir chez elle d'individuation), ou il essaie de s'imposer et elle ne le tolère pas car justement elle est en processus d'affirmation. Il faudra donc qu'il joue son rôle de malade et elle ira à la toute fin jusqu'à demander une annulation de mariage par le tribunal ecclésiastique. Le schème se reproduit, Paul n'a pas droit d'existence pour cette autre mère, car il menace son intégrité.

La stratégie thérapeutique :

Elle a d'abord été d'établir une alliance massive, à incidence fusionnelle, à diminuer la répression pour rétablir la confiance de base et contrer un processus de néoformation délirante. Pour cela, on a eu recours au collectif de l'équipe et au groupe de jeunes psychotiques. Par la suite, il a fallu démasquer la double contrainte qui figeait Paul au discours de Marie, le dévalorisait et l'empêchait de faire un mouvement pour son propre pattern.

L'entrevue d'interprétation a été suivie rapidement d'une séparation du couple, d'un mieux-être chez Paul qui a diminué sa médication, espacé ses visites, trouvé un travail (après plus d'un an d'arrêt). Il revient spontanément à la clinique, à l'occasion pour dire un malaise ou un bien-être. Il y a eu aussi facilitation auprès des amis du mouvement de Paul durant sa période difficile. Ce dernier n'a pas été transformé. Il lui reste à se réinsérer dans les réseaux qui, en regard de son cheminement, seront les plus pertinents au bien-être de son étant. Il n'est pas certain qu'il y en aura.

L'acceptation de son pattern pourra-t-elle se faire ou évoluer vers un minimum d'individuation? Sinon, assistera-t-on à un repli plus autiste avec réinsertion du délire comme lieu plus déterminant de se vivre en rapport, ne fut-ce qu'à un réel frustrant et inaccessible? Doit-on ouvrir le réseau de la clinique à une permanence d'alliance fusionnelle et recréer l'hébergement asilaire, ne fut-ce que dans sa facette affective et de façon plus sophistiquée à travers la communauté? Le pattern de Paul en est un de béance. La modulation collective de son environnement a eu pour effet additionnel de le situer dans une brèche. Le trou percé, c'est le véhicule du néant qui s'ouvre quand l'adhérence des imprégnations n'a pu s'aménager un espace illusoire intérieur et que la position du champ social proximal en est à une étape plus désorganisée de son mouvement, soit celle individuée du cycle fusion-individuation.

Deux ans plus tard, Paul sera frappé par une automobile. Il joindra le handicap physique à sa difficulté mentale. Son mouvement dans le réel a écorché son corps dans un «accrochage» existentiel à son «étant».

2- Le lit agressif

La consultation initiale:

Une travailleuse sociale appelle à la Clinique au sujet de Thérèse, femme de 55 ans, qui serait paralysée au lit depuis plusieurs années. Cette dernière fait une demande de chaise roulante de la part du bien-être social. Trois omnipraticiens ont déjà examiné Madame et elle n'aurait aucune pathologie physique. Par ailleurs, avant sa paralysie, il y a cinq ans, elle aurait vu deux psychiatres et maintenant elle refuserait d'en voir un autre. Nous nous présentons quand même chez elle avec la travailleuse sociale.

L'historicité de la famille:

Thérèse est issue d'un milieu semi-bourgeois. Elle a un caractère fort, dominant. Elle a une mauvaise image de sa féminité, présente une morale à la fois rigide et poreuse. François, son mari, est un orphelin, adopté très jeune par un couple qui n'a pas eu et pas pris d'autres enfants. Sa personnalité semble très anaclitique, très dépendante de son environnement humain. Il a toujours eu un petit salaire et depuis quelques mois il est sur le

BES étant donné un malaise au dos qui se 'chronicise'. À cela, s'ajoute peut-être des ulcères, une certaine asthénie, ce qui fait que Monsieur a des fréquentations médicales régulières (médecins, physiothérapeutes...). Le couple a eu trois enfants. Robert, 28 ans, qui demeure dans le salon, travaille dans un magasin de linge pour hommes. Jean, qui est marié depuis environ un an, s'est acheté un petit bungalow et semble bien fonctionner. Fleurette, la plus jeune, 17 ans. Elle a laissé son école à 12 ans pour s'occuper de sa mère et depuis elle reste à la maison. Sa chambre est en même temps la salle de télévision. Depuis 30 ans, la famille demeure dans le même logement exigu au 2ième étage : salon, cuisine, 2 chambres.

Le pattern familial a été de mal tolérer les sorties des enfants mais de favoriser et d'attirer les amis de ces derniers. Ainsi, Fleurette a un ami, Ita, jeune italien, qui sort avec elle depuis 5 ans et qui le plus souvent est chez elle. Il en est de même de l'amie de Robert. Il en a été ainsi de celle de Jean à l'époque, alors que, à 18 ans, ils avaient eu une petite fille (femme autre que l'actuelle) et que sa mère Thérèse a finalement gardée durant une année (mère, mère-fille, puis petite-fille seule). C'est peu de temps après que la fillette ait été reprise que Madame s'est vue paralysée et confinée à son lit. En fait, on rapporte un événement plus immédiat, soit une série de disputes très violentes au sujet du logement et des enfants de la part du couple, suivie d'une sortie de Madame qui, avec sa valise, s'est arrêtée sur le balcon pour réintégrer par la suite son lit et y demeurer.

Durant cinq ans, Madame n'a pratiquement pas quitté son lit. Fleurette s'en occupait le jour et son mari, le soir. Monsieur dut lui faire sa toilette, lui mettre la bassine, la nettoyer. Son état limitait les relations sexuelles. Jean s'est fait une nouvelle amie et s'est marié. Il est parti de la maison.

Les participants au réseau:

Thérèse. Le téléphone et trois amies. Sa petite fille est partie.
François. Le physiothérapeute. Les médecins. Le BES. La travailleuse sociale. Les omnipraticiens et les psychiatres. Jean et sa femme.
Robert et son amie. Fleurette et Ita. Un psychiatre, Une infirmière psychiatrique. Une étudiante.

Le point de déséquilibre :

La consultation est très indirecte. Il y a évidemment la paralysie hypothétique de Madame. On note le départ de Jean, et, depuis quelques mois, l'incapacité du mari qui a perdu son travail. La nécessité du Bien-être Social, les visites de la travailleuse sociale et des médecins qui ont un peu forcé une mise en évidence de la morbidité de la situation. L'approche des 18 ans de Fleurette et de l'expression non dissimulée de faire sa vie avec Ita. Le cheminement de la mère qui fait un compromis pernicieux avec la demande d'une chaise roulante. Beaucoup plus loin dans le temps, la perte de la petite fille, l'exiguïté du logement, la médiocrité du type de vie, l'agressivité au sein du couple.

Le point de gestalt :

Nous sommes en présence d'un univers où la dépendance est actualisée de façon affective comme le sens de vie. Monsieur incarne ce besoin et le fait passer au delà de tout. La symbolique de son état d'orphelin a dramatisé sa mobilisation d'«être en présence» quel qu'en soit le prix. Madame a dissimulé sa désillusion d'elle-même et de sa situation dans l'investissement de la maternité. Ce qui l'en sort devient cible de l'amertume amassée, de l'agressivité réactivée. Et qui d'autre est plus à proximité pour la recevoir qu'elle- même et son mari? La paralysie réalise ces deux agressions qui toucheront également au reste de la famille.

Jean se marie pour échapper à cette atmosphère mais, en fait, son inquiétude demeure car sa femme ressemble étrangement à sa mère. Il l'exprime ainsi : «Si vous ne pouvez rien pour ma mère, que m'arrivera-t-il si ma femme... ? Comme s'il était intrinsèque à la féminité ou à la maternité de se vivre ainsi.

Robert a vécu une adolescence très difficile, dépressive. Depuis la maladie de sa mère, le tout semble être plus facile en apparence. De fait, c'est lui qui se montrera le plus réticent à tout changement. Dans l'aménagement des pièces, le salon où il couche est en fait l'antichambre de la pièce de ses parents. C'est le lieu de passage et de communication pour quiconque veut s'y rendre. Il semblera être absent mais son comportement impliquera la servitude des deux femmes à la maison et il servira de médium à l'expression la plus claire de l'agressivité.

Fleurette a une structure de repli et d'évitement. Le vécu avec Ita est et serait la stricte reproduction de son atmosphère familiale. Toutefois, le passage de l'un à l'autre doit se faire et il implique un processus de distanciation minimale. Fleurette ne tient pas plus que cela à la vivre mais la réalité d'une vie avec Ita va l'impliquer éventuellement. Par ailleurs, Madame ne tient pas à perdre sa fille car elle se retrouverait seule en présence du mari et cette confrontation directe est appréhendée comme trop destructrice. Chacune fera donc une catharsis de leur écartèlement (menace suicidaire...) dont, paradoxalement, le bénifice en gains secondaires est le statu quo qui évite le choix et aménage un meilleur contrôle de leur présent vu la souffrance exprimée.

La stratégie thérapeutique : le catalyseur.

Nous avons déjà expliqué cette technique. En ce cas, un minimum de mise à distance nous semblait susceptible d'assainir ce réseau. Nous avons donc dévoilé à l'ensemble du groupe ce qui nous semblait une nécessité et comment il leur serait difficile, compte tenu de leurs besoins, d'y parvenir. Le processus d'aide fut formulé pour le groupe et / ou seulement pour Madame. Leur choix s'est restreint à une thérapie pour Thérèse.

En fait, nous avons choisi de favoriser un modeling à travers une alliance affective. Nous avons voulu le faire porter sur les deux femmes les plus touchées mais dont la mobilisation minimum serait à même de pallier à la plus grande morbidité dans ce pattern. Nous avons choisi comme temps des rencontres un soir où Thérèse et Fleurette étaient le plus souvent seules à la maison. Deux thérapeutes avaient été choisis. Un psychiatre pour Madame afin d'utiliser le mythe médical, une étudiante pour Fleurette à cause d'une certaine analogie de vécu tenant au sexe, à l'âge, et à la mobilisation parallèle (modeling). Le psychiatre allait rencontrer la mère pour une thérapie et l'étudiante l'attendait en prenant un café dans la cuisine. En fait, les deux rencontres sont similaires. Elle se font autour d'un café. Il n'y a aucune consigne technique sauf la présence, l'écoute et le naturel.

Il y eut par la suite 14 rencontres échelonnées sur un an. Fleurette se permit de ne pas rentrer certains soirs, de partir quelques fins de semaine. Madame reprit progressivement la marche, s'occupa seule de sa maison, puis peu à peu sortit et s'éloigna de plus en plus. À l'été, le couple parental se permit une semaine, seul et, depuis, monsieur a commencé à parler d'une reprise éventuelle de travail.

Deux ans plus tard, Madame vend des produits «Avon». Monsieur travaille régulièrement. L'ami de Fleurette est venu vivre chez eux. Jean a eu un enfant. Robert est moins présent à la maison. La famille se vit.

Peut-être est-il préférable d'accommoder son agressivité dans un contexte de distances puisque celle-ci est inhérente à cette dimension. L'humain est pourtant constitué de multiples facettes qui doivent s'harmoniser les unes avec les autres. Le vecteur fusionnel et collectif s'aménage à celui individué pour étayer les tonalités qui rendent chaque vécu possible. Le lit agressif, c'est l'éternelle confrontation du besoin et de la limite, du couple-collectif comme espace d'intégration des réussites et des ratées individuelles, de l'illusoire et de son deuil, de fait, d'une élation qui forge un social pour camoufler un sens qui échouerait sur sa «finitude».

Les lieux techniques d'intervention

1. Les mises en présence: continuité, contiguïté, cohérence.
2. L'action sur les schèmes structurels relationnels:
   attachement, récupération élative, vécu de référence.
3. Les mises en déséquilibre: valeur, norme, rôle, communication...
4. Les mises en situation: catharsis, crise, revécu modelant...
5. L'alliance affective et fusionnelle, le catalyseur
6. La double contrainte structurante thérapeutique
7. L'élation cognitive: stimulation, apprentissage, prise de conscience.
8. Le refus de traitement, l'opposition, l'intention paradoxale
9. L'évitement: la fuite, l'approche nirvanique, la modulation biologique contre-tensionnelle.

Les lieux dynamiques d'intervention

1. La facilitation affective diffusante
2. L'espace indéterminé
3. La relativité comme sens humain
4. L'opposition génératrice
5. Le champ social, vécu d'intégration des finitudes.

Le Soi...

De nombreux auteurs ont épilogué sur ce concept, mais aucune entente ne semble en être ressortie si ce n'est une vague entité qui incluerait plus ou moins le milieu et l'individu. Il nous parait donc important de préciser ce que peut être cette notion à notre sens.

On connait bien l'imbroglio de l'œuf et de la poule. Lequel précède l'autre? La conception cartésienne a développé une facette de la connaissance à base analytique, exploitant à fond certaines formes logiques dont, entre autres, celle de la causalité. La dissection cognitive permet la compréhension d'un certain entre-jeu des éléments mais biaise une vision globale qui dépasserait cette logique mécaniste. Notre propos, depuis le début s'est axé sur la recherche d'une compréhension différente et plus entière. Au factuel dispersant le contenu, nous avons préféré l'existentiel qui le véhicule, soit la vie.

Que ce soit le couple Fusion-individuation ou celui poule-œuf, ce qui situe leur étant, c'est leur mouvement d'alternance et d'équilibre, la pulsation vitale qui les crée. Le SOI ne s'anime pour nous qu'en terme de globalité d'être au monde, donc au sein d'un agir de vie qui articule et fonde sa réalité. L'action rendra compte de l'étant car elle s'enregistre en regard d'une finalité entière qu'elle maintient constamment.

Le mouvement vital est en lui-même une dynamique d'auto-entretien. L'action ainsi produite est en continuité d'un étant toujours présent même si elle n'en façonne à première vue qu'un moment. Au contraire du processus de réflexion, l'agir n'est jamais en décalage véritable car il n'est que filigrane continu à une réalisation constante et totale. Ainsi, le processus de gravitation (mouvement énergétique) n'aurait plus d'existentiel si, ne fut-ce qu'un instant, ses agirs inhérents cessaient d'être.

L'énergie développe son cheminement à travers certaines formes, opacifications ou imprégnations, qui vont véhiculer son cycle. Ainsi le mouvement électron-neutron... crée l'atome de même qu'un aménagement des molécules en relation permet la constitution d'une substance chimique. L'agir à l'intérieur de l'atome conditionne et est en même temps son étant ou son «imprégné». Il n'existe pas de décalage et on pourrait dire que le double concept imprégnant-imprégné forme en fait un couple-fusionnel, termes identiques à la limite. Ce qui est ne peut que continuer à être et ce qui n'est pas ne peut devenir. Si le réel est ce qui est et le cognitif, l'accès sous une forme ou l'autre à cet étant, l'imprégnation cognitive se dévoilera comme l'ensemble de tous les processus énergétiques de cet étant (ou réseau) considéré comme situation d'être au monde.

Nous convenons donc du SOI comme d'une imprégnation qui a valeur d'imprégné au sens de l'action ou du mouvement dont il est partie intégrante. L'imprégnation en tant que telle n'a pas d'étant si ce n'est celui qui l'inscrit dans un cycle dynamique et c'est là seulement qu'elle prend toute sa consistance.

Pour procéder avec l'aliénation de la logique descriptive, nous situerons arbitrairement trois niveaux de mouvement qui impliquent le SOI : le corps, le milieu, la pensée. L'imprégnation corporelle est action de vie au sens de sa physiologie, de son développement et de sa reproduction. Elle est action au milieu au sens des affects et de la relation nécessaire. Elle est véhicule cognitif au sens de la production associative, de la perception et de l'accession au décalage et au manque. Précisons seulement pour l'instant que l'affect est, avant tout, action et seulement cela. C'est en ce sens que l'un de ces critères inhérents est ce potentiel élatif, illimité qu'antérieurement, pour ses besoins autres, nous avions qualifié de fusionnel. On comprendra d'autant mieux cette caractéristique si on saisit bien que l'action n'est que mouvement à l'intérieur d'un cycle, qu'elle est imprégnante et imprégnée, donc déterminante et infinie. L'affect se situe au niveau de l'agir réflexe, physiologique, conditionné par ailleurs dans et par l'imprégnation au milieu et partie inhérente au mouvement fusion-individuation dans et par sa relation au cognitif.

L'imprégnation sociale (vecteur du milieu qui ici nous intéresse) est action de vie au sens de la mutation évolutive de l'espèce, de l'élaboration affective ou réalisation relationnelle de l'individu-collectif. Elle est action ou corps dans la création symbiotique inhérente au développement humain (la couvée), dans le conditionnement des réflexes physiologiques et affectifs opportuns aux mouvements de consistance (agirs en continuité d'un cycle dynamique). Elle est véhicule cognitif par l'entre-choc de pensées différentes qu'elle met en présence dans le temps (transmission de la connaissance), par la mémoire qu'elle rend accessible aux générations successives,...

L'imprégnation cognitive est action de vie au sens des champs expérientiels auxquels elle permet d'accéder et qui, de la sorte, favorise la mutation de l'espèce, au plan des limites qu'elle infère de par la réflexion et qui sous-tendent le mouvement fusion-individuation. Elle est action au corps de par la relation au réel qu'elle introduit et des possibilités adaptatives conséquentes. Elle est action au milieu par l'aménagement de survie qu'elle permet, par les cohérences qu'elle facilite dans l'exercice du pouvoir, et par l'adhésion individuée à une gestion collective... Elle est le médium qui permet d'appréhender les différentes formes d'imprégnations en situation-action, ce qui nous incitera à utiliser plus souvent le terme «imprégnation cognitive» pour désigner l'ensemble des imprégnations qui situent un étant dans son mouvement.

Si on veut s'attarder sur le soi d'un individu sous l'angle de son développement, il est remarquable d'y voir l'importance de la motricité dans les premières années de sa vie. Beaucoup d'auteurs ont noté ces réflexes de base des premiers mois qui facilitent sa survie, et ce, de l'agrippement au sourire en passant par les pleurs. L'enfant élabore un agir qui, dépendant de la facilitation qu'offre le milieu, est entretenu ou disqualifié dans son imprégnation. La mère (ou milieu équivalent) élabore des soins en parallèle (actions sur mais aussi en réciprocité) qui, de par l'attention nécessaire et assez continue, induit de façon assez systématique la conservation des patterns moteurs conséquents à cette première relation : c'est la consistance de base d'adhérence à un étant ou imprégnation convergente existentielle. Ce mouvement d'être au sein d'une relation symbiotique ou fusionnelle inscrit le véhicule social comme imprégné affectif ou pattern de mobilisation consensuelle. C'est aussi cette consistance de base qui va présider à la possibilité d'une démarcation entre soi (milieu / mère-enfant) et les autres (peur des étrangers du 6ième au 8ième mois), donc d'une élaboration cognitive au sein d'un décalage et de tout le processus consécutif d'individuation : mise à distance entre le milieu-mère et le MOI. Cette distance et toutes les modalités inhérentes qui s'y rattachent deviennent imprégné affectif individuant ou pattern de mobilisation contractuelle. L'agir fondé sur la consistance du soi trouvera son équilibre dans l'étant existentiel fusion-individuation.

On vient d'étayer l'établissement du soi sur un processus de continuité au sein d'un vécu (mère-enfant). Un tel phénomène est nécessité par l'enregistrement même, au niveau physiologique, de toute imprégnation. Il s'agit de la concrétude cognitive de l'adhérence à un fait en terme d'action-situation, et non de réflexion. Mentionnons la mémoire, le mécanisme de répétition (déjà décrit par Freud), l'intégration dans le sens de la continuité affective, l'apprentissage en tant que mouvement de conditionnement ou de « décaique » (modeling-identification à des patterns moteurs reproduits en stéréotypie et renforcés), etc ... Piaget et collaborateurs ont déjà bien décrit l'évolution des capacités de connaissance en termes d'intelligence. Nous ne citerons d'une façon générale, que l'axe de leurs travaux sur l'intelligence sensori-motrice des deux premières années de vie et l'évolution subséquente qui va d'une adhérence à une certaine « concrétude » jusqu'au stade formel du début de l'adolescence. Il existe donc toute une façon d'être de la première enfance qui se pétrit ou se modèle à des agir-faits au sein de mouvements de plus grande amplitude qui en assurent la continuité (adhérence à une forme imprégnante) à partir de mécanismes tels que cités ci-haut (mémoire, répétition, ...). Il est intéressant de voir l'importance du mouvement (de soi et des autres) pour l'intégration d'entités telles que l'image en miroir ou les schéma corporels. Ce qui situe (imprégnation-forme), c'est un certain agir ambiant, le corps et le milieu animés, donc la trajectoire et le véhicule de l'étant. Le non-sens existentiel, c'est l'agir-forme non inscrit dans une mobilisation de pérennité, donc qui n'accède qu'au vide et où le prochain geste ne peut être, car non-imprégné.

La fixation rendue possible par le cognitif sur le factuel ou par l'émergence d'une distance entre soi et les autres, puis au sein du soi entre le MOI et le milieu consensuel, détermine le ou les prérequis d'une forme inscrite dans le cycle vital, soit celle individuée. Nous appellerons champ « illusoire », ce processus qui, grâce à l'amplification associative de et sur un certain concret, élaborera de multiples cohérences et assurera ainsi, de façon temporaire, un certain pouvoir sur le réel. La prégnation du cognitif, au sens de la réflexion, est de situer un limité et un manque, donc d'aménager une logique de l'interaction et de la communication. Elle véhiculera la compréhension du système en termes d'unités en relation. Nous retrouverons le langage et les concepts signifiant-signifié qui marqueront le décalage et se situeront en tant qu'imprégné au niveau du manque dans le circuit dynamique qui le fait alterner, de par l'agir induit, avec le fusionnel. Nous avons un nouveau couple action-réflexion comme équivalent à la fusion-individuation, affectif-cognitif, consensus-contrat, consistance-cohérence, imprégnant / imprégné-signifiant / signifié et en fait le soi-moi comme point d'être ou point de gestalt.

L'étant vécu, comme moment d'arrêt dans l'espace-temps, s'incarne comme malléable car préhensible à un devenir multiple, puisque non-inscrit en apparence dans une trajectoire saisie. La réflexion qui, pour associer, conjugue les «factuels», les situe limités et unifiés en interaction, donc de pouvoir possible les uns sur les autres et entre eux fonde une gestion qui, même si illusoire, a valeur d'étant. Vu l'accès à la différence et au multiple ainsi induit, nous l'appellerons imprégnation existentielle de divergence.

Ce morcellement apparent, nous l'avons situé dans un champ dit «illusoire». Il peut-être intéressant de retracer dans le développement humain ce processus qui permet de véhiculer dans le même mouvement ce que, communément, on dénomme réalité et imaginaire. Dans les premiers mois de vie, l'enfant développe des patterns moteurs. Ils sont réflexes et / ou conditionnés avec valeur de prégnation de par la consistance et la continuité du milieu-mère. Ces premières formes ne peuvent être appréhendées car induites, constituantes, agies. La perception se situera au niveau du besoin (faim, froid ...) mais n'atteindra pas le concept, c'est à dire un factuel défini et précis. Il y aura réflexe, court-circuit moteur. La mobilisation jouera comme constituante des premiers schèmes, c'est à dire de «consistant» intermédiaire entre la perception et le concept. Le schème sera diffusant, agissant et senti, associant de façon indifférenciée milieu et corps. Il y aura à ce moment double évolution; l'une dans l'adhésion ou prégnation à un schème du fait de la permanence d'une continuité extérieure au soi (schème de l'objet permanent de Piaget), l'autre dans le mouvement d'utilisation d'un senti comme équivalent à l'homéostasie ou équilibre symbiotique (première possession non-moi ou objet transitionnel de Winnicot).

Nous retrouvons dans l'un la première imprégnation vers la délimitation d'un concret et dans l'autre le schème-initial du remplacement (association de deux perceptions agies : le vécu fusionnel milieu-enfant et le schème d'utilisation d'une sensation comme substitut) et son développement éventuel dans la capacité symbolique. Premier décalage sur une création illusoire, pourtant pouvoir effectif dans l'agir qui s'imprègne.

Délimiter un concept, c'est exprimer une finitude. Associer, c'est l'impliquer dans un mouvement dynamique de création dans la mesure du vécu signifié qu'il véhicule (même si toujours partiel). La multitude des «factuels» rend la capacité associative illimitée (l'imaginaire) de par le principe de la progression géométrique des interactions entre entités unifiées. Le fait que le signifiant ne puisse qu'être partie du signifié ou pouvoir relatif établit à la fois sa force dans l'adhésion partielle au signifié et sa faiblesse dans le manque qu'il ne peut dire, donc agir qui ainsi ne pourrait être. Cette carence situe par ailleurs le lieu d'un possible, d'un inexprimé que «l'illusoire» cherchera de façon incessante à dire : imaginaire qui rejoint toujours un réel fuyant (inéluctablement partiel) et situe ainsi les cohérences dans leur vérité mais aussi dans leur relativité. Cohérence et pouvoir deviennent une même expression d'un réel rejoint et pourtant toujours inaccessible. Nous employerons plus souvent le terme cohérence dans la logique du Moi individué et celui de pouvoir dans celle de la gestion collective. Nous pouvons évidemment citer en exemple les travaux de Freud dans le premier cas : développement d'une cohérence axée sur une interaction triangulaire ; puis, ceux de Marx dans le second qui situe dans la dialectique des classes sociales l'oppression d'un pouvoir qui est véhiculé par les structures économiques. On comprendra que nous ne pouvons ici reprendre la logique de leurs exposés. On se réfèrera à leurs travaux ou aux auteurs qui, par la suite les ont développés pour saisir exactement les cohérences qu'ils élaborent.

C'est dans la capacité d'abstraction et la maîtrise des signifiants que l'individu, à partir du stade formel, atteint dans sa capacité cognitive, en arrive à une néo-élaboration ou synthèse créative de ce qu'il est et en fait de ce qui est. Il est intéressant de voir le prolongement de l'adolescence actuelle en relation apparente avec le système d'éducation toujours plus développé. La cognition, c'est le pouvoir et l'individuation mais, en paradoxe, c'est aussi le morcellement et l'affrontement qui tendront à se réaménager un nouveau collectif et à revenir au continuum égalitaire. La capacité illusoire, c'est l'adhésion possible à un équivalent signifiant d'une mobilisation imprégnée affective ressentie. Le Moi ou le pouvoir en sont les processus qui partent de la consistance du soi pour poursuivre le mouvement comme un vécu équivalent authentique au sein d'une cohérence. Nous appellerons aliénation la cohérence ou le pouvoir. Son versant positif sera, de fait, l'imprégné qui est véhiculé ou exprimé ; sa facette négative sera le manque à être ou à dire qui ne peut-être rejoint. Nous situerons l'alinéation continue dans ces textes comme une dialectique du diffusant et du délimité, ce qui n'empêche évidemment pas qu'il y en ait une plus considérable que l'échange critique avec nos lecteurs nous permettra de reconnaître. Une cohérence est le produit d'une chaîne associative qui se développe après un vécu ressenti et qui l'utilise (cohérence post-décisionnelle de Festinger) dans la progression finalisée d'un ensemble logique pour unifier un indéfini trop dispersant et ainsi assurer un contrôle temporaire ou une homéostase illusoire rassurante pour l'ordre cognitif. Rappelons la première association entre le Soi et l'objet transitionnel et sa fonction d'équivalence (négation affective ou motrice de la distance) possible dans un aménagement du vécu à partir des perceptions induites à combler la différence (capacité de l'imaginaire de produire ou de modeler la perception).

Nous avons reconnu le Soi comme l'ensemble des imprégnations qui participent au mouvement vital d'un individu. Nous avons rattaché la voie affective à celle d'un agir réflexe procédant de cet imprégné. Nous avons situé l'attachement social comme prégnant au sein de la consistance affective (liée à la symbiose du premier âge milieu- / mère-enfant) de même que véhicule d'une gestion où l'exercice du pouvoir s'attachera au contrôle de la distance, soit à l'aménagement de la réalité relative du continuum espace-temps où nous sommes. Sur le plan individuel. nous l'avons déterminé dans le concept de cohérence ou de Moi. Tout collectif sera mouvement fusionnel ou consensuel de même que part d'une gestion cognitive (voir chapitre antérieur sur la sociologie affective). On retrouvera donc dans l'imprégnation collective un soi qui entérine ce mouvement. Un couple amoureux a sa jonction diffusante dans l'affectif de réalisation qui les mobilise. Un groupe de revendication a son étant dans l'agir d'idéalisation qui le réunit. Une famille a son consensus dans le milieu fusionnel qu'elle crée comme lieu d'enracinement social ou relationnel; elle est aussi le site d'apprentissage d'un aménagement des distances suivant la forme de gestion collective plus large du milieu ambiant. En fait, sa structuration se fera selon le même pattern que l'exercice du pouvoir impliqué dans le plus vaste ensemble. Le changement social ne pourra être que mouvement qui les véhiculera ensemble. La répression et la participation nous semblent les deux agirs où de nouvelles cohérences pourraient se substituer.

Nous ne pouvons changer notre propre consistance. Le Soi est lieu d'enracinement, d'une situation à un mouvement qui est. Par ailleurs, nous pouvons aménager notre développement interne dans un rapport soi-moi d'équilibre et de continuité vitale. Aux forces dispersantes de nos individualités, nous pouvons aussi joindre un renouveau collectif. Aménager la consistance de ceux qui nous suivent, c'est en fait s'insérer dans l'existentiel qui nous fonde. Le corps est lieu de mutation, le cognitif d'évolution, le social de mobilisation.

CHAPITRE SECOND

LA DIMENSION COGNITIVE

L'Intensité mimétique

A- Les structures linguistiques et l'unification

L'élaboration de la connaissance s'est peu à peu aménagée à partir des perceptions, des expériences et des associations d'idées. Le processus n'a pu vraiment s'orchestrer qu'avec l'accès aux mots, lesquels ont servi de substance et de rouage à une telle élaboration. La pensée ne peut s'articuler et se développer qu'à partir de la matière conceptuelle. Plus encore, les possibilités comme telles de concevoir se retrouveront de façon fondamentale dans les formes linguistiques.

1- L'appellation

Le fondement même de l'ordre cognitif, c'est de nommer. Utiliser le mot comme espace circonscrit, déterminant, c'est plus profondément unifier. Tout processus cognitif repose sur un sens nécessaire: l'unité que le multiple l'éparpillé ou le diffus révèlera. Cette découverte cheminera à travers ce treillis d'articulations complexes appelé «*organisation*». Nommer, c'est préciser. Le multiple qui pourrait y apparaître se transformera en organisation: pattern ou schème qui, en se déterminant, situe le sens, l'unification qu'en est sa raison même. L'ordre cognitif impose les dimensions du sens, de l'organisation, de l'unité. Parler cognitif, c'est formuler en termes d'évolution, soit le sens ou l'unification nécessaire.

2- La reduplication

Nommer, c'est redupliquer, associer un son à un fait, «approximer», doubler, calquer en forme de langage. Le cognitif, c'est d'abord une imitation, une «mimésis». Le premier harnachement symbolique, c'est d'abord une copie. Une des dimensions les plus profondes de l'Art, ce sera mise en son, cette mise en image, qui reproduit, qui reforme de la façon la plus exacte possible (elle en tire son intensité) le «concevable» (qui nomme, qui unifie l'informe, l'émotion, le flou, qui image). L'articulation cognitive de base, c'est l'imitation, la duplication. Le développement humain, c'est le cerveau biologique muté qui centuple les capacités mimétiques des autres espèces inférieures et, en même temps, dites «plus évoluées».

3- La polarisation

Nommer, c'est aussi en même temps établir un rapport et se situer dans ce rapport. Déterminer, c'est mettre en relief le champ, l'espace qui s'étend du «flou» au «précis». C'est situer une position dans l'organisation, le treillis, l'articulation. La place occupée, circonscrite, ne peut l'être qu'en rapport avec un autre concept, un autre réel qui se font être, exister, de façon simultanée. C'est l'unité bipolaire structurelle des linguistes. Les mots «bon» et «méchant» n'existent que l'un par l'autre. Former un mot, c'est ouvrir un espace qui se ferme dans son contraire.

I Nous appellerons «*espaces de fixation*» ces structures cognitives de base qui tendent à circonscrire, à déterminer un réel ou un mouvement.

a) Ce sera l'harnachement symbolique primaire de la duplication, fruit du mimétisme. Espace au sens de «l'ancrage» de la représentation qui reste un mouvement vers le mimésis, une tendance vers la «doublure» parfaite.

- analogie mathématique : cet espace est celui de l'infini qui tend vers le 0 comme on peut le comprendre dans un fractionnement illimité (exposant infini ∞)

Exemple: $\frac{1}{2}^{\infty} : \frac{1}{2} : \frac{1}{4} : \frac{1}{8} : \frac{1}{16} \ldots \quad 0$

L'espace du fractionnement va être infini sans jamais atteindre le 0. Le paroxysme de l'intensité et son vertige résident dans cet «infini mimétique» (ou plusieurs mimétiques) toujours plus près mais inaccessible.

b) Ce sera le champ de l'unité structurelle bipolaire, inhérent au rapport ou à la relation. Espace au sens de la situation d'un mouvement où la position qui se forme dans un rapport s'orchestre en fonction d'une position inverse.

- analogie mathématique : positif et négatif déploient un espace à partir du 0 qui reste strictement égal et complémentaire.

∝- ---- -7 --- 0 --- +7 ----∝+

(méchant) ----------- (bon)

II Nous appellerons «*espaces exponentiels*» deux autres structures cognitives de base inhérentes de façon simultanée aux deux premières et qui tendent à ouvrir ce que les premières refermaient dans leur déterminé.

a) Ce sera le décalage signifiant / signifié qui donne de l'infini à l'espace symbolique. L'espace de l'infini mimétique tel que décrit précédemment peut être interpelé ou manipulé dans son inverse. Le flou de ce qui ne peut jamais être représenté constitue un espace libre à l'interprétation individuelle.

- analogie mathématique : l'espace de «l'infini mimétique» au lieu d'être vécu dans son mouvement est utilisé dans son «état» (existence) comme espace de jeu ou de positionnement. Le sens s'ouvrira à l'infini comme expression exponentielle de l'interaction des concepts unitaires, tel que décrit dans le moi cognitif au premier chapitre. La fixation fournie par le mouvement de «l'infini mimétique» se fera à partir de l'organisation pulsionnelle du corps pour redonner le sens et l'unification.

b) Ce sera l'articulation associative ou interactionnelle du rapport qui ouvre la connaissance (corrélations inépuisables) sur la multiplicité des sens. L'infini ainsi ouvert créera l'espace imaginaire qui, allié à la tendance «fixatrice» de l'espace mimétique, agira à partir de la matérialité (et de son organisation) pour forger la connaissance.

- analogie mathématique: Voir «l'exponantialité» des concepts unitaires telle que décrite dans le moi cognitif.

  2^{∞} = espace infini

4- *Le décalage signifiant / signifié*

Nommer, c'est calquer mais toujours avec une perte, toujours avec un plus. L'approximation qui ne peut être parfaite et le manque qui ne peut être rendu est aussi le flou qui ouvre l'espace dit «intériorisé». Le décalage entre le signifiant et le signifié de toute appellation (qui se décuple dans la communication) permet la création de l'espace personnel ou «dit inconscient» de chaque individualité. La structure pulsionnelle biologique motivera et / ou forgera l'intensité qui ouvre cet espace et récupérera en cohésion ce qui aurait pu être inaccessible.

5- *L'interaction exponentielle*

Nommer, c'est déterminer les termes d'un rapport, interagir, associer des déterminés. C'est donc connaître. La multiplicité engendrera un infini de possibles. La structure «matérielle» qui permettra l'adéquation du «senti» et du concept récupérera le multiple de par son inhérence organisationnelle, sa logique physique, chimique ou même magnétique. On mettra en scène, un jour, toutes les explications que nécessiteront nos seuils perceptifs et cognitifs. L'espace de connaissance est aussi celui imaginaire. Il ouvre une créativité qui se referme dans l'ordre cognitif et que nos structures pulsionnelles ou de matérialité érigeront en cohérences (ou incohérences).

B- L'imitation et le désir

Nous venons de voir que le fondement de la connaissance repose sur les capacités mimétiques du cerveau humain. Nous avons circonscris le schème conceptuel de «l'infini mimétique», mouvement cathartique d'intensité qui tend à la duplication parfaite. Toutes les formes cognitives l'utilisent pour une accentuation du «senti» dans l'adhérence au concret. Nous le retrouvons dans la jonction du fantasme et de la pulsion, de l'imaginaire et du réel; nous le retrouverons dans l'adhésion du rôle à l'identité au sein du champ polarisé et, de façon fondamentale, dans tout processus d'accès à la «capacité» (intensité du senti de toutes les forces du Moi).

Le mouvement d'imitation est créateur d'intensité, celle qui fondera l'investissement du réel. Sa carence dissociera la pensée cognitive du fait. L'aboutissement en sera l'autisme. Car la mimésis est aussi le fondement du social. Il y a un lien étroit existentiel entre la connaissance et la socialité. Cette capacité d'intensité mimétique les révèle dans un même processus qui draîne l'évolution mutante humaine. Le social est une constante reduplication. Le multiple des individus dissocierait le collectif sans une forte cohésion qui déborde, fonde et absorbe en même temps la pulsion individuelle.

Dès les premières acquisitions chez le bébé, le milieu est symbiotique, fusionnel. Le développement de la capacité est environné de modèles. Les apprentissages de base sont imitatifs, répétitifs. L'hypertrophie mimétique atténue les structures instinctives biologiques. Le culturel opère à travers le harnachement symbolique primaire. La langue, les mythes, les rituels, les institutions situent, déterminent un moule, un modeling qui se nourrit d'appartenance. L'enfant veut devenir grand, comme le père ou la mère. Être grand, c'est être fort, beau ou intelligent. C'est avoir une capacité que le Moi naissant, fragile à ce niveau, apprend à désirer. Le culturel façonne les stéréotypes de la valorisation (consommation, classe sociale, rôles...). Le vécu avec les autres profile les choix du désir, l'image à désirer. L'intérêt de l'un façonne la valeur de ce qui est désiré et structure le désir de l'autre (René Girard). On désire le désir de l'autre. Ce qui importe dans l'œdipe, c'est l'idée du désir du parent du même sexe pour celui du sexe opposé.

Dans la mesure où le désir se façonne à un certain niveau imaginaire, il relève de l'image, de ce que l'accession à l'image structure comme identité et valorisation, de ce que la réalisation du mouvement de ce désir apporterait comme épanouissement, accroissement et sensation d'être. Si la culture favorise les besoins individuels, le désir s'associera aux pulsions du corps. Si les stéréotypes modulent le vécu à travers les autres, le désir s'actualisera dans des rôles ou statuts sociaux. Si le mouvement culturel draîne des courants paradoxaux, le choix s'idéalisera (jonction concrète impossible) pour concilier et court-circuiter l'espace polarisé dans un flou inaccessible (le romantisme qui prend son sens de l'autre en se donnant une valeur individuelle marquée).

Le désir, dans la poussée directrice qui relève de la mimésis, acquiert son intensité de cet «infini mimétique» inaccessible. L'accession à l'objet du désir le détruit. Le quotidien des couples sature de réel une image appréhendée qui ne peut tenir à la longue. Le fait situe la distorsion de l'image qu'on va alors rechercher ailleurs. La capacité reconnue ou acquise dans la réalisation du désir situe le manque ailleurs. Le désir, c'est la «mouvance» qui détermine le sens, c'est l'espace qu'on ouvre à sa propre vitalité. Il ne peut être authentiquement réciproque. Il peut se vivre en parallèle, conjointement.

On peut être amoureux de l'image de l'autre (elle ne sera pas la même de l'un à l'autre). On peut désirer en même temps quelque chose d'extérieur à nous. On ne peut se désirer d'un même désir. Si l'un désire le corps de l'autre, ce dernier devra désirer son propre corps et non le corps du premier (stéréotype sexuel sur le corps de la femme) pour qu'il y ait jonction. L'espace du désir s'inscrit dans l'image de l'identité. Il se calque ou se projette sur un tiers mais ne peut se vivre réciproquement. L'occupation de cet espace par l'un force l'autre à ne pas le sentir comme sien (dans un même temps). Le mouvement ne peut s'inverser que par le retrait du premier. La structure mimétique est unidirectionnelle dans le «here and now». Le mouvement de l'un force la position polarisé chez l'autre.

C- Le champ polarisé et l'identification

Nous avons vu que le processus d'imitation est à la base même de la structure cognitive. Nous avons défini un phénomène de catharsis affective (intensité), «l'infini mimétique», qui va présider à l'investissement de la connaissance à travers tout désir de capacité. «L'infini ou la pulsion mimétique» qui fonde la capacité établit de ce fait les bases du moi à travers un processus fondamental d'imitation sociale ou, doit-on dire, d'identification. Cette mimésis qui structure la «mouvance» affective récupère la pulsion biologique et l'adhésion au réel, au sein d'un modeling social qui assure la «mutance» humaine.

Le fonctionnement social qui procède de l'espace physique et des unités corporelles (dans une de ses dimensions) va devoir insérer la différence dans le décalque humain. Le schème de l'unité cognitive bipolaire va servir de trame structurelle à la première esquisse de la différenciation à partir de l'imitation (l'identique). La polarité va définir deux positions d'unités contraires et l'espace entre les deux deviendra le champ de mouvement des individus qui s'y mouleront. Tout pattern de relation humaine s'inscrit dans un champ polarisé (ou plusieurs) dont le vécu même de ce type de mouvement situe le consensus unifié ou d'identification de cette relation.

Prenons l'exemple de l'alcoolisme. Le consensus (ou processus) consiste à se situer dans un champ OK vs NON-OK. Les structures mentales sont concrètes, très liées à la forme apparente et immédiate. Celui qui est le plus fragile à la culpabilité occupe rapidement la position du OK. Plus il veut bien faire, plus il fait émerger le comportement NON-OK chez son conjoint. Le meilleur traitement pour ce dernier, c'est encore les A.A. où une bonne part de la réussite consistera à s'en sortir pour s'occuper par la suite des NON-OK (stricte inversion et pattern identique). Le conjoint OK qui se sépare se retrouvera le plus souvent avec un NON-OK. S'il essaye de s'en sortir seul, il deviendra anxieux et à plus ou moins court terme utilisera des anxiolytiques analogues à la boisson qui le révèleront NON-OK sous une apparence OK (prescription médicale). Les deux partenaires ont un mouvement identique. Ils joueront des rôles complémentaires qui, en s'inversant, révèlent la mimésis des sujets.

Tout schéma de relation élabore sa différence à partir d'une identité première. Qu'on le situe dans les patterns intériorisés à partir des premières images de l'enfance ou dans l'actualisation concrète de jeux de couple, le champ polarisé cristallise une mimésis identificatoire qui rend cet espace (ou mouvance) significatif. L'amour, c'est cet «infini mimétique» d'une jonction ou similarité inaccessible qui s'inscrit dans le réel quotidien au sein d'une complémentarité d'équilibre (rôles de fonctionnement). Chacun a en soi les deux pôles des polarisations où il se situe. Son unité cognitive individuelle force un choix, une clarification qui lui laissera à elle-même l'impression d'un déterminé, individualité ou identité.

Cette identité se révélera par la séparation du couple comme structure des contraires quand chacun devra jouer le rôle évidé et souvent l'incarnera (le plus souvent de façon temporaire) dans la relation immédiate qui suivra (du personnage sûr de lui au libertin par exemple). Cette réversibilité (si elle n'est pas excessive) sera enrichissante pour une relation quand elle inversera les rôles selon les niveaux (par exemple, le conjoint sécure et stable au travail qui manifeste beaucoup de vitalité et de mouvement dans les amitiés). La même réversibilité sera fondamentale dans la mimésis d'identification, de l'adolescent ou parent: «Monsieur X est un peut 'croulant', industriel établi, député du parti conservateur au pouvoir. Son fils se révèle dynamique, socialiste avec des idées marxistes, révolutionnaire dans son approche politique. Vingt ans plus tard, l'industriel est à la retraite. Son fils a pris en main son commerce. Le parti d'opposition a finalement été élu. Avec le temps, le fils et son parti se révèlent de plus en plus conservateurs, croulants (les Bourgeois, Jacques Brel). La mimésis circule et se réalise dans la polarisation. Le 'même' structure le 'différent' des temps du réel et des générations.»

D- L'Infini exponentiel et le délire

Le fait que le connaître va s'articuler à partir des mots comme unités déterminées va permettre d'ouvrir un autre espace infini, celui qui se forme à partir des interactions. C'est le champ exponentiel tel que décrit au niveau du Moi cognitif (1er chapitre). Cet espace associatif est fondamentalement celui de l'imaginaire. La multiplication des unités engendre une frénésie des possibles que les structures de fixation ramèneront à un seuil perceptuel qui les rendra significatifs.

Le champ polarisé, qui tire son existence de la formation même des concepts, sera l'articulation la plus simple apte à saisir un mouvement, à limiter, à façonner un pattern. L'écosystème humain qui s'élabore sur la communication ou le connaître forcera des schèmes de base (instruments des symboliques primaires, collectives) sur lesquels les valeurs et, finalement, les cohérences s'établiront. Le délire en sera l'expression la plus pure. Toute atteinte dissociative qui morcelle la pensée illustre cet éparpillement des possibles qui se récupère progressivement dans un délire plus structuré, immanquablement polarisé. On dira projectif, paranoïde.

Le processus délirant en est un de réorganisation de la dissociation. Il répond à la fonction cognitive de l'identité, à la détermination perceptuelle d'une unité, d'une organisation, d'un sens. C'est la quête d'une cohérence. Le délire, c'est la fonction de cohérence du Moi qui rassure. L'apparition du délire fait suite à une angoisse intolérable qu'il atténue. C'est dans un second temps que, à son tour, il génèrera parfois (pas toujours) l'angoisse qu'il voulait éteindre. La cohérence qui se polarise avec trop d'intensité évoque la fragilité de ceux qui l'habitent. L'investissement de la forme cognitive qui s'enferre en elle-même constitue un appauvrissement de son sens pour n'exprimer que le malaise affectif dans sa confrontation aux limites.

C'est la pulsion mimétique, c'est-à-dire ce mouvement d'adhésion, de reduplication du concept à son objet qui constituera le harnachement de base, la fixation fondamentale qui étayera le fondement de la connaissance sur le réel. La jonction du concept à une certaine réalité permet de connaître, de retrouver les patterns, l'organisation, le sens de la matérialité (physique, chimique, biologique...). Le déficit ou la perturbation de la pulsion mimétique dissocie ou aménage les distorsions du contact avec le réel. Cette atteinte qui est aussi celle du fondement de l'affectif relationnel (pulsion mimétique / fusion) provoque la fluidité cognitive qui s'accrochera à la structure polarisée comme alternative d'adhérence. La forme sera alors manipulée au service de la distorsion ou dans une tentative désespérée de camoufler le déficit (qui correspond à l'évidement affectif).

Le champ exponentiel, c'est l'espace associatif infini de l'imaginaire. L'aménagement formel de la texture cognitive par les polarités va permettre l'élaboration et le développement de la connaissance et des cohérences dans la mesure où la pulsion mimétique permettra l'investissement du réel dans le mouvement d'adhésion du concept ou fait. Une dysfonction à ce niveau mimétique pulsionnel décroche la cohérence usuellement perceptible pour la situer au niveau du délire, d'un imaginaire dont la seule consistance reste la forme structurelle cognitive (champ polarisé), qui poussé à l'extrême, révèle le malaise d'être. La perturbation de l'investissement mimétique rend précaire ou impossible le désir et l'identification. De ce fait, l'identité n'a plus d'assise et ne peut alors s'exprimer qu'à travers le processus délirant. L'identité naît de l'identique comme l'individuation de la fusion ou le moi / capacité de l'espace transitionnel symbiotique (Winnicot). La différenciation s'élaborera alors ou s'accentuera à partir d'une autre potentialité structurelle cognitive, le décalage signifiant-signifié. Cette dernière éclairera la cohérence individualisée à partir des pulsions du corps et dans l'aménagement d'une capacité symbolique plus personnelle, dite intériorisée.

E- Le décalage signifiant-signifié et l'arbitraire

Le développement du cerveau humain qui amplifie son potentiel imitatif génère un mouvement, une frénésie d'atteindre ce niveau d'imitation ou de reduplication la plus exacte possible. Ce mouvement dit de «l'infini mimétique» ou pulsion mimétique permet l'établissement du processus de connaissance, l'adhésion au réel et au social, l'investissement de sa propre capacité (moi cognitif), et, finalement, l'élaboration d'une dynamique individualisée (moi psycho-dynamique).

La connaissance, par l'utilisation de l'ordre analogique conceptuel, ouvre une certaine distance par rapport au vécu. Cette distance permet d'inverser la pensée sur soi-même ou sur son propre processus. Ce sera la réflexion et jusqu'à un certain point la conscience. Je peux réfléchir sur le fait même que je pense ou réfléchisse. Ce mouvement qui me fait «m'actualiser vers» (désir, «infini mimétique»...) sans jamais vraiment «atteindre», ce «manque» toujours inaccessible, c'est le processus même du mouvement, c'est aussi ce qui peut être saisi dans tout son vécu (corps, esprit, affect...) et dont il peut être réfléchi.

Le décalage signifiant-signifié, c'est le décalage entre le son (signifiant symbolique de premier ordre) et l'objet (signifié). La structure analogique du connaître ouvre un espace qui n'est jamais une reduplication parfaite. La notion de mémoire explique à la fois le fait que l'on se souvienne et que l'on oublie. La notion de «nommer» ouvre à la fois l'espace du réel et de l'imaginaire, du vrai et du faux. Si le fait ou l'acte de le nommer précise un objet, le nom qui émerge n'atteint jamais à une reduplication exacte de l'objet. Ce décalage, si infime soit-il, ouvre un espace qu'on pourrait appeler d'erreur, de confusion, en fait qui se révélera être le champ arbitraire où la liberté individuelle pourra s'élaborer en cohérence et identité.

On appellera inconscient individuel cet espace imprécis où d'autres sens peuvent être saisis dans ce décalage de «nommer» ou «vouloir signifier». Qu'on utilise «macho» ou «poupée», chacun a une ou plusieurs saisies du terme qui ouvre un espace flou, propre à chacun. La fluidité, la brume, la multiplicité ou l'équivoque des sens permettra un jeu et, de fait, la possibilité d'un choix. La culpabilité, c'est le constat ou la croyance de ce choix, donc d'alternatives potentielles. La névrotisation, c'est cette intériorité victime de ses processus.

Quel que soit le niveau cognitif, il reposera toujours sur les mêmes bases structurelles. En premier lieu, il consiste à nommer, déterminer, unifier. L'inconscient drainera un processus d'identité. La pulsion mimétique s'y retrouvera dans son désir de pouvoir et d'identification. L'appropriation individualisée associera l'état des satisfactions mimétiques à la dynamique pulsionnelle biologique (orale, anale, génitale ou autre schéma). L'énergétique biologique développementale se sculptera à même les adhérences mimétiques possibles. La cohérence et les valeurs de survie seront héritées et remodulées dans les trames imprégnées des champs polarisés vécus. L'espace exponentiel du connaître situe un infini où des cohérences multiples pourront apparaître selon les adaptations de survie et le choix nécessaire de se situer en différence.

La cohérence, c'est l'identité. L'unité ne peut se saisir que dans un rapport de différence qui situe. La multiplicité des interactions du vécu présent et passé ne peuvent être de l'ordre de la pensée cognitive individuelle. L'arbitraire fondera sa liberté et les alternatives de cohérences. Arbitraire qui n'existe peut-être pas dans un déterminé plus vaste, d'un ordre statistique où la fréquence d'un processus et son manque fondent ensemble, inexorablement, la mouvance qui suivra.

Le moi psychodynamique, c'est le senti de l'état de notre énergétique biologique modulée et imprégnée de notre parcours mimétique : pulsion de capacité, d'identification et de différentiation. L'accès à la connaissance draine le mouvement de sens de l'individualité et l'établissement de cohérences au service de l'identité. La réflexion sur soi-même quête un parcours, une historicité du senti, de ses imprégnations et de ses choix. L'espace du souvenir en est un en décalage comme celui du choix. La fluidité ou le flou inhérent est au service de l'impérialisme de l'émotion immédiate insérée dans sa cohérence.

La notion de refoulement tient à l'espace flou du décalage. Elle permet le changement de la cohérence dans ses adaptations nécessaires en laissant à l'identité sa quête d'unicité. Le champ polarisé de l'individualité humaine, c'est de se sentir comme unité déterminée et en même temps de se définir comme lieu de cette détermination qui, à l'extrême, pour se fonder ou se croire se doit d'être arbitraire (indéterminé). Ce paradoxe ou cette contradiction essentielle en constitue la dynamique fondamentale.

La pulsion mimétique ou «infini mimétique» fonde le mouvement d'adhérence au réel, au social, au déterminé. La réalité du décalage ouvre un espace symbolique, de flou ou d'erreur que l'individualité investira comme espace arbitraire pour se situer. L'espace lui-même sera lien d'inconscient, de choix, de jeu, de refoulement, de culpabilité. La pulsion biologique (énergétique) à travers ses imprégnations servira à fixer l'adhérence à soi-même et à sa propre identité. Le décalage réintroduit aussi à ce niveau, à travers la fluidité du souvenir, l'impérialisme de l'émotion immédiate et le fondement relationnel d'adaptation et de survie structureront une dynamique symbolique intériorisée d'un espace arbitraire (liberté) que la quête structurelle d'identité et d'unicité cherchera à nier en le déterminant. Le Moi psychodynamique, issu de la pulsion mimétique et biologique, s'ouvre des espaces symboliques particuliers à travers son accès aux processus de décalage et d'arbitraire qui fonde son unité dans sa liberté.

SYNOPSIS

Les structures linguistiques

1) déterminer, c'est unifier
2) l'appellation, produit du mouvement d'imitation
3) l'unité bipolaire structurelle
4) le décalage signifiant-signifié
5) l'exponentialité des corrélations entre concepts unitaires (interactions)

Fonctions des espaces linguistiques

Fixation — *pulsion mimétique ou infini mimétique*
unité bipolaire structurelle ou champ polarisé

Exponentiel — *décalage signifiant / signifié (intériorité individuelle)*
exponentialité des concepts unitaires (l'imaginaire et la connaissance)

Analogies mathématiques

1) L'infini du fractionnement (ou de la tendance mimétique qui ne peut être parfaite): lieu de la pulsion mimétique dans le mouvement réalisé et du décalage signifiant-signifié dans l'imprécis et l'erreur introduits

$1/2 \propto = 1/4 : 1/8 : 1/16$ ---- *le 0 inaccessible*
(la somme de toutes les fractions tendra vers l'unité sans jamais l'atteindre)

2) L'infini des nombres entiers (ou des cohérences alternatives toujours possibles): lieu du champ exponentiel des interactions, de l'imaginaire / connaissance

$2 \propto = 4 : 8 : 16 :$ ------ *l'infini qui émerge du 0*
(l'unité se définit dans son interaction et se double nécessairement)

3) La structure de l'unité (ou le champ polarisé qui fixe le sens) lieu du champ polarisé qui structure le différent de l'identique
$-\propto$ ---- -7 --- 0 --- $+7$ --- $+\propto$ *l'unité qui émerge du 0*

Impact de «l'infini ou pulsion mimétique»

jonction ou adhérence du concept à l'objet (signifiant - signifié)
jonction ou adhérence du désir à l'imitation sociale réalisée
jonction ou adhérence de l'imaginaire à la connaissance
jonction ou adhérence du fantasme à la pulsion
jonction ou adhérence de la pensée au réel

C'est fondamentalement l'accès à la ***capacité***

Le désir

pulsion mimétique comme mouvement
processus de cheminement vers l'inaccessible qui change d'objet mimétique pour maintenir sa dynamique
non-réciprocité existentielle (qui découle de la logique des éléments qui précèdent)
possibilité d'un cheminement conjoint partiel

Le champ polarisé

un mot, un rôle, une position se définissent dans un rapport. Celui le plus simple, qui le fait naître, c'est la polarisation. L'unité, le consensus et le processus sont constitutifs du rapport. La différence qui naît, se traduit dans les polarités, les identités, les positions

la mimésis qui nous fait adhérer à un schème polarisé (prenons le plus simple +vs-) est une même recherche de cheminement que l'ouverture de cette mouvance réalisera dans une impression de complémentarité ou de différence.

CONSENSUS (MIMÉTIQUE)

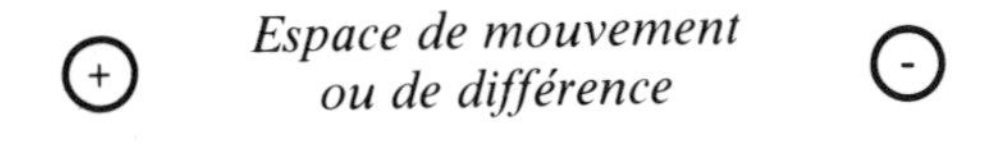

schème fondamental de l'identification

Le processus de différence

1) le champ polarisé (1er niveau symbolique)
2) le décalage Σ / s (2e niveau symbolique)

L'imaginaire

le décalage signifiant-signifié
le champ exponentiel des corrélations entre concepts unitaires
le champ polarisé

La connaissance

la pulsion mimétique
le champ polarisé
le champ exponentiel et / ou le décalage Σ / s

Le délire

la distorsion de la pulsion mimétique
le champ polarisé
le décalage Σ / s et le champ exponentiel

L'arbitraire

le décalage Σ / s
le champ polarisé et exponentiel
son fondement individuel et non collectif

Moi cognitif

pulsion mimétique / accès à la capacité
champ polarisé et exponentiel

Moi psycho-dynamique

le décalage Σ / s comme symbolique intériorisé
pulsion mimétique et biologique
l'arbitraire comme lieu nécessaire et d'exclusion

Les champs polarisés

A- La sujétion mimétique

Nous avons vu dans le chapitre précédent que la connaissance et la socialité relèvent de la capacité mimétique et du processus d'intensité qui lui est inhérent. Ce mouvement qui récupère et produit un senti fusionnel donne à l'agir et à la connaissance l'investissement de la capacité comme structure néguentropique (MOI) immédiate, comme espace illusoire à l'encontre d'une entropie plus diffuse et lointaine. Le vécu individualisé ainsi cristallisé dans une mouvance façonne la néguentropie dans une élaboration de sens qui seule peut réinsérer dans la partie (individu) «l'élation» propre au tout vécu comme plénitude (fusion):

le tout (sans limite): fusion, plénitude, élation

la partie (limitée)

- accès à la capacité immédiate (réel) dans un senti qui procède de l'intensité mimétique: élation, plénitude
- accès simultané à la possibilité (espoir, illusion) du tout qui procède de l'agir et du connaître et en infère un sens: plénitude, fusion.

Cet espoir d'accéder au sens comme la *sujétion fondamentale de tout individu à sa mimésis* ouvre un espace d'attribution, un espace moral d'adéquation, une valeur virtuelle qui,

(1) considérée dans sa facette de mimésis sociale se révélera dans son champs polarisé OK VS NON-OK

(2) considérée dans l'ouverture du sens lié au cognitif fondera le champs polarisé du bien et du mal (notion de faute) lié à la mouvance du sens, donc d'une actualisation

a) que l'on peut retarder: les réincarnations multiples dans notre cheminement vers le Nirvana

b) que l'on peut manquer: l'enfer des religions issues de la chrétienté

La religion s'élabore sur le champ polarisé le plus primitif, celui qui tient et se lie à l'attribution de l'espace et de l'intensité mimétique, celui qui procède de la socialité et de l'accès à la connaissance. Bien / mal, OK / NON-OK, sont des équivalents polarisés comme les religions sont des équivalents des grands collectifs (Toynbe) ou civilisations. Le cheminement des religions et des civilisations vers un Dieu unique, c'est l'évolution, la démarche cognitive fondamentale vers l'unification, l'unité intrinsèque ou processus de délimitation et d'interaction qu'est la connaissance. À ce niveau, on ne peut aller plus loin que l'unité sinon dans une stratification d'unités dans une plus vaste unité. La religion élabore le cheminement d'une culture à travers l'organisation d'un sens (mythe) où l'espace polarisé du bien et du mal contingente l'intégration des vécus des parties (individus).

Par son origine au sein du déclenchement mimétique, la religion est en même temps cognition et socialité. Elle véhicule l'étape d'un connu en aménagement avec la socialité adaptée qui y correspond ou, si l'on veut, avec les trames affectives processuelles inhérentes. La religion constitue le médium fusionnel par excellence d'une culture. L'articulation mythique(s) sert de balises «élatives» intégratrices des potentiels affectifs non structurés des individualités. L'articulation du sens rejoint le façonnement des identités et module dans ces normes cognitives la part affective structurée de l'identité. Dans sa relation au mythe, le bien et le mal ont des effets d'endiguement et de césure pour situer l'individu dans la norme. Dans sa relation à l'identité intériorisée, le OK / NON-OK aménage la culpabitilité à investir la norme comme position de sens.

B- Psychose autistique et symbiotique

Au plan clinique, la pathologie la plus primitive est celle qui est contemporaine de l'accès ou non à cette intensité, soit l'autisme. S'il n'y a pas de processus d'élaboration du senti, il n'y a pas d'investissement possible de soi ou de l'autre, voir de tout réel ou simplement de quoique ce soit. À son niveau le plus pur, l'enfant autistique «ne peut accrocher» le regard de quiconque ni le sien propre dans un miroir. La perception n'a pas d'impact ou elle est excessive (pas de processus d'élaboration). À un niveau moins prononcé, le contact semble se faire mais sans sens. Ce qui importe c'est «l'accrochage» humain. L'enfant se colle après un certain temps de familiarité mais ne peut investir par lui-même le jeu ou le mouvement. Placé au milieu de multiples jouets, il n'y touche pas. Si on lui fait manipuler, il n'y a pas d'intensité ou d'investissement du «faire» qui en découle. Il ne les touche pas plus par la suite. C'est l'enfant symbiotique. Cette carence ou pauvreté, on la dénommera aussi psychose autistique et psychose symbiotique.

C- Pulsion mimétique et pulsion libidinale

«L'énergétique» qui mobilise l'être humain dans son écosystème sera nommée «pulsionnel». On en précisera deux formes :

a) la pulsion mimétique

Elle se caractérise par l'accès à la satisfaction par la *mise progressive en intensité*. On la retrouve au niveau physiologique dans la sensation pour elle-même, dans le plaisir de la connaissance, de l'apprentissage et de la créativité, dans l'élation des états fusionnels, amoureux ou d'appartenance sociale. Elle transformera la pulsion libidinale pour la mettre au service de l'aménagement des identités et des interactions sociales.

b) la pulsion libidinale

Elle se caractérise par l'accès à la satisfaction dans une *mise en tension (intensité) qui se dissout dans une décharge*, le plaisir étant lié à la baisse de tension. On peut en retracer le cheminement à travers les phases orales, anales et génitales (telle que connues). Elle métabolisera la pulsion mimétique en drainant une forme sociale à travers un particularisme individuel.

Certains produits utilisés instrumentalement sur le corps (tels les analgésiques en ce qui regarde la douleur, l'alcool pour l'inhibition, les tranquilisants pour la détente et la relaxation) agissent de façon analogue en libérant l'individu de tensions psycho-physiologiques. Toxicomanie et alcoolisme procèdent de ces deux formes pulsionnelles. Elles miment la pulsion libidinale par leur accès à la décharge tensionnelle. Elles la pervertissent par l'accoutumance et l'assuétude excessives introduites.

L'accès à la capacité à travers l'intensité mimétique a sa contrepartie (champ polarisé) dans l'aménagement du corps à se mettre sous tension pour agir sur la réalité. Les mises sous tension du corps pour son adaptation et sa survie deviennent les réflexes conditionnés à cette capacité. La pulsion libidinale qui, à travers le processus, permet la décharge sporadique, sera investie à la fois en termes fantasmatiques et d'habituation au développement de cette même capacité ou identité. Dans la mesure où il y aura accès à l'image et possible utilisation symbolique, on verra le développement d'une psychodynamique (phase orale...) au sein de l'identité. Dans la mesure où cet accès symbolique est pauvre ou bloqué, les mises sous tension parallèles au développement de la capacité seront absorbées par les réflexes conditionnés ou habitudes du corps, selon l'écologie de l'environnement où ils ont à se développer. Ce sera l'obésité héritière d'une société de consommation, l'accident cardio-vasculaire dans un milieu de productivité accélérée. À ce niveau plus concret, les processus d'identité seront investis davantage en termes de rôles ou de positions; on peut en inférer ainsi plus visiblement une valorisation dans un rapport aux autres.

D- Perversion alcoolique et toxicomane

Alcoolisme et toxicomanie relèvent de cette structure concrète où la mise sous tension parallèle à la capacité est excessive si elle n'est pas intégrée dans un rôle valorisant au sein d'un environnement rigide. L'accès à la décharge à travers ces produits est trop facile pour que l'habitude ne s'instaure pas rapidement chez ces personnalités où l'investissement symbolique n'a pu se cristalliser de façon importante. Il existe une fluidité du MOI qui s'actualise particulièrement dans un rapport avec l'autre. La structuration des affects a été pauvre et c'est l'intensité affective qui est valorisée comme sens. La mimésis est piégée dans un champ polarisé bien-mal où être OK c'est tout faire pour ne pas être NON-OK, toute capacité affirmative induisant l'espace ou le rôle NON-OK. Le mouvement positif ne peut être issu du MOI. Il est dans la position occupée au service des autres.

L'alcoolisme-toxicomanie est une pathologie sociale plus apparente. Elle signe un déficit d'idéalisation d'une société qui ne génère plus suffisamment de positions valorisantes au service des autres (importance des conflits, des guerres ou des mythes religieux et patriotiques dans l'écologie de l'appartenance). L'interaction va être ramenée au niveau couple-famille où la polarisation des conjoints sera extrême. Si tout le mouvement est ramené au champ polarisé OK-NON-OK d'une relation, il y aura chez un partenaire la production symptômatique du rôle NON-OK. Son excès élèvera la polarité à sa dimension religieuse primitive du bien et du mal. L'enfer est aussi un lieu d'appartenance. L'habitude d'une drogue s'enferre dans un milieu qui la facilite ou l'entretient. La fluidité du MOI qui se vit des autres est de soi tributaire ou existant de son appartenance.

Le conjoint d'un alcoolique nouera de nouvelles relations qui se révéleront de même type. S'il perd son milieu où il est OK au service des autres (rôle), il sera soumis à la même tension que son conjoint et pourra devenir alcoolique. Il le deviendra soit directement, soit indirectement à travers des tranquillisants reçus pour raison médicale, ce qui maintient l'apparence d'être OK et évite ainsi d'être piégé à la position «enfer» (ou méchant). L'alcoolique lui-même, souvent, ne s'en sort qu'au prix d'un changement de milieu, d'un nouveau collectif qui lui permettra de prendre une position OK au service des autres (ex.: les A.A. et la position de «parrain»). La norme devra être ferme, rigide, absolue. Pour ce, elle ne peut se vivre en continuité mais de façon ponctuelle, au jour le jour. La dimension du sens doit être extérieure, au niveau du mythe.

E- La schizophrène

Au niveau adulte, la dysfonction mimétique structurelle engendre l'entité majeure qui lie perturbation cognitive et sociale, soit la psychose schizophrénique. Autisme et incohérence signent la dysfonction de la mimésis qui n'a pu engendrer l'énergie, l'intensité d'un «accrochage» à même de structurer la foi ou l'illusion d'une identité. Il ne peut y avoir de processus mais utilisation stérile du champ polarisé bien-mal au sein d'une projection ou polarisation désespérée qui, dans le meilleur des cas, se structure dans le délire paranoïde. La dysfonction mimétique bloque la réversibilité du champ polarisé pour fixer la polarité (projection) au détriment de l'intensité mimétique ou identificatoire (introjection-réversibilité).

La schizophrénie apparaît en fin d'adolescence (15-25 ans) au moment où la capacité individuelle doit performer pour répondre aux propres besoins du corps dans un réaménagement d'appartenance (adaptation sociale). Le MOI intégrateur ne peut faire face à la mise sous tension. Il n'y a pas, comme chez l'alcoolique-toxicomane, intégration du champ polarisé OK / NON-OK (versant socialité de la pulsion mimétique) mais plutôt régression ou récupération du versant cognitif et religieux (magique) de cet espace polarisé, soit bon-méchant. Sous l'impact du développement du corps (émergence libidinale) et de l'adaptation à des niveaux sociaux plus différentiés, il y a mise sous tension avec développement continu d'un malaise (anxiété) qui atteint la désorganisation ou dissociation. Il révèle la perturbation de l'intensité mimétique qui n'a pas généré un désir suffisant d'accéder au réel, au reconnaître (jonction du mouvement et de l'objet), à la conformité «élative» d'atteindre à une mimésis, à un vécu d'attribution significative qui donne un «accrochage», un asservissement à un nécessaire réel. Ce n'est que dans un second temps, dans une tentative désespérée d'échapper à l'angoisse morcelante (hébéphréno-catatonie) que le schizophrène se raccroche à la forme cognitive à travers le processus paranoïde (bon-méchant ou forme polarisée projective selon laquelle l'enfer est liée à l'autre).

La constitution même de l'espace polarisé draîne la structure cognitive et de soi le processus de différentiation. L'intensité mimétique, qui donne accès au cognitif, induit dans le même mouvement la mimésis sociale. «Appellation» et «mimésis sociale» sont toutes deux reduplication, soit façonnement du même. Le champ polarisé va constituer le schème fondamental où vont se lier le même et le différent. Cet espace constituera le champ polarisé de toute la structure des champs polarisés ou *méta-structure*: le même et le différent. La mise en place d'un champ polarisé situe le consensus, le même, la mimésis ou la reduplication. L'espace du mouvement entre les pôles aménage le différent dans sa sensation immédiate, différent au service de l'identification, du processus du même. Ce sera le premier niveau du différent, celui de l'identité et de l'identique (où appartenance).

Toute relation se structure sur un champ polarisé qui en constitue l'affinité : complémentarité contractuelle apparente (rôles) sur un concensus fusionnel sous-jacent. C'est le lien mimétique par excellence de toutes les identifications. Toute relation qui se maintient suffisamment longtemps permet cette diffusion de l'identique à l'identité. La sensation d'identité repose sur un vécu de différence qui véhicule une saveur d'appartenance (SOI). L'opposition ou polarité des rôles façonne le senti perceptuel du différent qui pourtant respecte le senti affectif du même. L'adhérence affective mimétique génère la cohésion perceptuelle qui s'orchestrera en cohérence.

La psychose schizophrénique est une perturbation de l'adhérence mimétique fondamentale. Elle se révélera à l'adolescence quand les processus d'identification devront donner ou aboutir à la cohérence individuée. Le déficit mimétique originelle n'a pas permis la mise en place de véritables champs polarisés ou, si l'on veut, de l'articulation du même qui fonde le différent, de la fusion satisfaisante (espace transitionnel) qui génère l'individuation de la capacité d'appartenance à survivre seul. Après la dissociation, la projection psychotique ne récupère du champ polarisé que la forme apparente, évidée de son sens. Le déficit du même qui ne génère pas d'appartenance peut être compensé avec le temps dans une forme appauvrie par l'Institution (soins) sécurisante ou l'asile ou le foyer...

F- La métastructure du champ polarisé

a) Appartenance et identité

À travers le champ polarisé ou la diffusion de l'identique se constitue le véhicule relationnel du temps, l'appartenance. S'extrayant de l'attribution mimétique, le champ polarisé met en mouvement, en gestation dans l'espace, cette appropriation fondamentale de l'adhérence humaine : l'identification. Qu'elle soit issue directement de l'intensité mimétique ou aménagée à travers le champ polarisé, l'identification prend racine dans un processus d'appartenance. Elle est indissociable de la temporalité. Elle s'y constitue progressivement (période de cinq ans pour le couple) et fonde la permanence sociale dont l'un des rôles est d'intégrer cette dimension (temps). La société, à travers la famille et la patrie, cristallise des unités, des collectifs d'appartenance (il y en a d'autres) qui expriment cette attribution mimétique dans son intensité et dans sa générativité de sens : l'identité s'y jumellera dans le *vivre par* soit directement, soit par polarité.

b) Famille et patrie

Famille et patrie s'expriment à travers la polarité conceptuelle du «même et différent». L'appartenance véhicule l'identique comme processus de diffusion à l'identité. L'appropriation du second (identité) se générera à partir de celle du premier (appartenance). L'effet, en regard de la dimension temporelle, y prendra la même intensité et la même efficacité. La reduplication du «contenant» (appartenance-identité) n'enraye pas la multiplicité possible des «contenus» (sens). La structure polarisée qui génère la différence fournira un habitat naturel à ce qui se présente comme autre, alternatif, mieux... Identité et appartenance sont indissociables dans l'écologie humaine. Elles correspondent à la métastructure du «même et différent» qui préside à la structuration du cognitif et du social. La pathologie qui met en dysfonction l'intensité mimétique et court-circuite la diffusion de l'appartenance à l'identité a pour nom schizophrénie ; celle qui accompagne et qui fit que l'on est capté de façon excessive dans son attribution mimétique s'appellera dépression. Dans l'une (psychose), l'accès à la temporalité est constamment faussée (déficit d'intégration) et la rupture toujours immédiate (processus de mort proximal). Dans l'autre (dépression), la temporalité est toute liée à l'appartenance. L'appropriation est excessive. Le temps apporte sa rupture (mort) dans l'abandon. «Vivre de l'autre» (anaclitisme) est une expression équivalente à «mourir de l'autre». On peut se sacrifier pour la patrie. On peut mourir de la mort de son conjoint (ou abandon).

c) Le mouvement dépressif

Le mouvement dépressif est parallèle à celui de la socialité. Il signe l'acquisition de cette dernière. L'atteinte à l'intensité mimétique établit le lien attributif ou appartenance. Cette appropriation se cristallise dans une information ou gestalt symbolique parallèle au type structurel de mentalisation (niveaux de capacité symbolique). On dira de cette image, information ou sensation, qu'elle est «significative». La dissolution de cet «engramme significatif» (ou perte) correspond à l'évidement dépressif. Ce qui est atteint, c'est le contenu de la pulsion mimétique, la constitution spécifiée ou incarnée du désir, l'habitude du sens ou sa familiarité. Le traitement sera toujours le remplacement, la présence à même de restituer le sens, la familiarité et le désir, celles qui ont possiblement une portée mimétique ou qui s'articulent dans l'engramme évidé.

La position dépressive est le lieu de réorganisation du pattern vital. Elle resurgira aux temps principaux d'adaptation aux nouvelles formes de vie : fin d'adolescence, désinvestissement du couple-famille après 10-15 ans de quotidien (parfois avant), perte du sens du travail un peu plus tard, adaptation au vieillissement et au déclin physique. Elle signera des temps individués entre des réaménagements fusionnels. Suicide et amour seront les réflexes polarisés les plus facilement mis en branle pour échapper au malaise. Le questionnement suicidaire (normal à l'adolescence) s'inscrira dans l'ouverture d'une démarche d'intériorité. Le sens intérieur se générera d'une remise en question du sens vital. Le niveau de capacité symbolique favorisera ou non une telle émergence (la carence ou l'excès symbolique le bloqueront). L'histoire d'amour rétablira le sens vital en parallèle à la concrétude de nos personnalités. Le spleen de l'identité psychologique rejoindra notre «fusionnel cognitif» à même de donner une même équivalence. On entend par «fusionnel cognitif» le senti produit par le feeling cognitif qui est issu de la «pulsion ou intensité mimétique». Cette dernière produit, dans la même mouvance, l'accès au cognitif et à la socialité. La carence symbolique qui rend la présence indispensable ou la sursaturation de l'imprégnation symbolique, qui dramatise l'image ou le contenu au détriment du contenant, révéleront leur inadaptation dans une symptomatologie d'agirs, d'impacts somatiques ou de «sentis» dits dépressifs.

d) Amour et intériorité

Amour et «trip» intérieur correspondent aux pôles déjà définis du champ polarisé «le même et le différent», véhiculés dans un espace «élatif» personnalisé. L'amour, c'est la jonction à «l'engramme mimétique»; «l'imprinting» lié à l'enclave symbolique significative, l'appropriation focalisée de l'appartenance, du même. L'intériorité, c'est le versant cognitif, l'angle «appellation ou reconnaître» de l'intensité mimétique. Le désir est ainsi recanalisé dans une appropriation des formes affectives de l'individualité, formes imprégnées parallèlement à l'identification mimétique (engramme). Le même est ainsi véhiculé en déterminé, en processus de différence. À la limite, cohérence et rôle se génèrent à partir de l'espace polarisé. Ils sont tentatives de définition en vue d'articuler le mouvement humain de sa propre reduplication dans le réel dimensionnel.

Le champ polarisé à travers sa structure binaire met en place des positions d'identités, rôles formels au service de la différence des individualités et de la diffusion d'une même socialité. La position historique de la dialectique individuation-fusion et / ou un niveau plus accentué de capacité symbolique vont favoriser l'émergence d'un taux plus reconnu de cohérences intériorisées. Vues dans une perspective plus globale, ces cohérences ont fonction de rôles en regard de l'ensemble : l'intériorisation constitue une médiatisation fusionnelle personnalisée au service de la dynamique sociale en équilibre, d'un écosystème humain paradoxal qui se reduplique et survit en cherchant sa différence. Nous traiterons maintenant de champs polarisés cliniques que l'on peut interpréter en psychodynamique mais que nous situerons dans leurs formes structurelles, en terme de rôles et positions qui définissent les individus avant d'être repris en cohérence par eux.

Intensité mimétique <
- accès à la capacité cognitive
- accès la capacité sociale

Sujétion mimétique <
- ouvre espace du sens : bien - mal
  : religieuse
- ouvre espace d'adéquation immédiate : OK - NON / OK
  : sociale

Énergétique pulsionnelle
1) pulsion mimétique : mise progressive en intensité
2) pulsion libidinale : mise en tension (intensité) qui se dissout dans une décharge

Pathologies de l'intensité mimétique
1) psychoses autistiques et symbiotiques
   faiblesse dans l'accès à la capacité.

2) psychoses schizophréniques
   faiblesse dans l'accès au «même et différent»

3) perversions mimétiques : alcoolisme et toxicomanies
   faiblesse dans la sujétion mimétique

Métastructure des champs polarisés : le même et le différent
- appartenance - identité : l'espace de l'identification
  enracinement famille / patrie

- la dépression, normalité et pathologie de l'appartenance - identité
  position d'adaptation aux changements

- amour - intériorité : réflexes d'adaptation
  rôles et cohérences dans l'identité

La clinique relationnelle du couple

1) Le Moi et l'appartenance

Une approche de psychiatrie sociale, du moins celle-ci, se donne un 'biais', un préjugé inclinant vers la compréhension de l'humain dans son inhérence sociale ou collective. Quand nous pensons aborder un angle clinique, c'est d'abord la clinique relationnelle qui nous vient à l'esprit. Le couple en sera un exemple très structuré. Les paramètres que nous situerons se retrouveront à divers niveaux d'intensité pour toute autre relation. La particularité implicite sera peut-être celle de la considération du temps, de la relation maintenue durant des années du couple amené à vivre le quotidien.

L'espace polarisé qui prendra le plus souvent préséance sur les autres sera celui des niveaux d'identité: comme nous l'avons déjà décrit dans des pages antérieures, le moi et l'appartenance en constituent la charnière principale. L'identité est source de détermination et, comme telle, d'une violence inexorable mais nécessaire pour composer avec celle de la matérialité du réel. Selon le niveau, elle situe l'entité et la différence. La famille, ce peut-être un noyau restreint mais tout de même un tout collectif se différenciant des autres familles, des autres milieux. Il en est de même des différentes «patries» comme des différents «moi». Ce qui est unité devient différence dans son rapport, dans sa relation. La plasticité humaine permet la diffusion de l'un à l'autre. Ainsi être amoureux, c'est substituer l'identité d'une relation à celui de son Moi. Nous retrouverons trois possibilités chez le couple.

Deux identités qui s'intègrent à l'appartenance: situation qu'on retrouve dans «le coup de foudre» mais qui ne peut se maintenir dans le temps qu'à l'aide d'une projection systématique, le plus souvent sur un mauvais objet (ex.: guerre).

Deux identités qui se replient sur la quête de leur Moi: situation de peu de durée, sauf par accommodation formelle, car les besoins de la quête forceront d'autres appartenances (ne fut-ce que celle du trip intérieur) qui rendront le couple inadapté à leur propre collectif.

Un qui assume l'appartenance, l'autre qui définit son Moi: aménagement le plus fréquent et le plus dynamique (celui qui assume le plus l'intégrité relationnelle quand il y a un peu de réversibilité).

2) Le rôle et la position

Quand une personne articule son identité à partir de celle de l'appartenance à une relation, elle oriente ou détermine un équilibre de ses relations, de ses champs polarisés, d'un type d'affirmation en corrélation à d'autres appartenances (ex.: religieuse...), équilibre au service de l'alternative moïque du partenaire (dans le cas moi-appartenance) dont la contrepartie (équilibre des relations, des champs polarisés...) d'être en différence permet l'adaptation et la survie au sein d'un plus grand ensemble.

MOI	-	APPARTENANCE
(rôle d'identité de l'un)		(rôle d'identité de l'autre)
RÔLE	-	POSITION
(contiguïté métonymique)		(similarité métaphorique)

Les rapports des niveaux d'identité sont en fluidité constante à l'équilibre relatif d'un ensemble de systèmes. Dans l'écosystème humain, la notion d'identité est un équivalent conceptuel du mot ou du phonème en linguistique. Elle en est la clarification unitaire. Par exemple, les niveaux d'identité sont en position analogue à celle des phonèmes au sein du mot. Ils s'articulent dans un rapport d'enchaînement syntaxique (contiguïté métonymique) ou de substition sémantique (similarité métaphorique). Le rôle (contiguïté), se nourrit d'une interaction nécessaire et se définit dans un processus spatial, physique, qui se contraint à la différence en quête constante de complémentarité. La position est le lieu de substitution, d'équivalence, de similarité. Elle se détermine en fonction d'un processus temporel, psychique, qui assure la pérennité. La position ne peut se considérée que dans une perspective de symétrie. Elle se véhicule en tant que sens d'un tout. Il peut y avoir alternative mais non pas incomplétude. Le rôle, lui, s'articule en relation avec d'autres sensembles et va chercher des vécus positionnels qui serviront d'adaptation aux collectifs multiples dont est constituée la société. L'aménagement positionnel s'insère de façon fluide aux médiums fusionnels (religion, patrie,...) qui la rejoignent comme équivalence. Ils tissent ensemble un humanisme plus complexe d'appartenance d'où se génèreront des rôles d'accomplissement ou d'actualisation.

3) La diffusion affective et la connexion des identités

Si on en revient à la clinique du petit système de couple, tout geste proximal à ce dernier force une équilibration médiate qui se vivra à travers des interactions plus facilement perceptives et un phénomène de diffusion de soi plus flou et obscur car manipulé involontairement aux besoins adaptatifs des cohérences individuées. Ainsi, le décès d'une personne significative sera contemporain d'un questionnement du couple (mort diffuse) sinon d'une séparation. Le mouvement selon lequel le partenaire niera son attachement coïncera souvent l'autre dans son appartenance, donc du deuil à assumer même si antérieurement il a fait le même geste ou songeait à le faire.

L'échec de l'affirmation moïque de celui dont c'était le rôle rendra difficile sinon impossible la relation car, la réversibilité, dans ces circonstances, maintiendrait une morbidité à laquelle tout changement de relation pourrait être préférable. À la limite, l'échec va être transféré du Moi à l'appartenance et / ou à celui qui s'identifie à cette appartenance, ceci comme meilleure alternative d'y faire face et, de fait, de maintenir l'appartenance qui repose sur le rôle Moi initial hypothéqué.

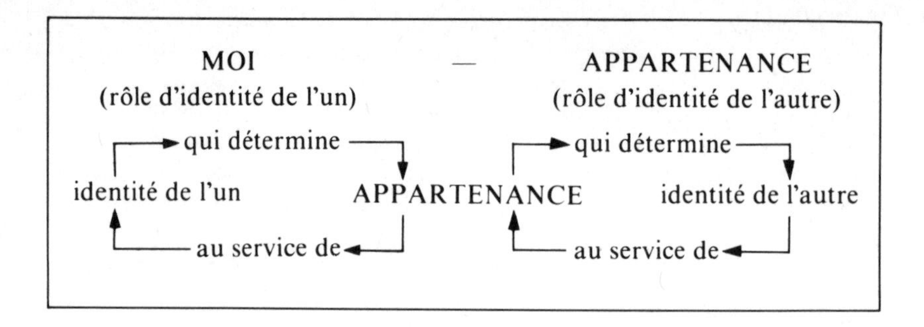

4) Identité et stéréotypes

Ainsi, parfois, il arrive que la dépression soit vécue par celui qui s'identifie à l'appartenance à la place de l'autre. La dépression d'un conjoint remet nécessairement le couple en question à moins qu'elle serve à ce déplacement ou que l'entité soit justement basée sur la nécessité du malaise (champ polarisé aidant-aidé, OK vs NON / OK, sadomasochisme...). Celui qui habite l'appartenance ou position est beaucoup plus vulnérable à l'expression dépressive. Celui qui s'identifie au rôle est beaucoup plus fragile à la vivre quand les mécanismes d'évitement font défaut.

Le vécu positionnel d'identité génère pour l'individualité des rôles à structuration cognitive (stéréotypés), lesquels nourrissent la valorisation moïque nécessaire à l'équilibration interne de la fusion-individuation. Le vécu du rôle d'identité se sustente d'adhérences positionnelles (travail, communauté, politique...) où s'articulent les espaces polarisés de détermination (stéréotypés) nécessaires à l'enchassement du rôle d'identité. La relation des rôles et positions stéréotypés à l'environnement peut générer des mouvements d'identité. Ces derniers, pour respecter l'appartenance première, ne pourront pas dépasser un certain seuil, variable à chaque entité.

Rôles et positions stéréotypés	Rôles et positions d'identité	Rôles et positions stéréotypés
position d'identité partielle	réversibilité	rôle d'identité partielle

5) Seuil de réversibilité

Ces rôles et positions partielles (sous seuil de base) favorisent une certaine réversibilité (aussi partielle) qui permet une meilleure adaptation du collectif-couple avec l'environnement et de chaque soi-même des conjoints. L'individualité des partenaires confrontée aux limites du réel requiert aussi à ce niveau des seuils tolérables au type d'appartenance (s : celui du couple et des autres médiums fusionnels associés : religion ou autre). Quand ces deux seuils (un ou l'autre) sont dépassés, il se produit un double mouvement : une réversibilité massive liée à un état de rupture du collectif (au niveau du ressenti). Si la rupture concrète ne s'effectue pas, l'agir nié crée un espace polarisé au couple où difficultés de comportements (agir) et états dépressifs (non-agir) se côtoient. Ces mouvements sont d'abord réflexes comme tentative d'annuler la réversibilité actualisée. Puis, ils servent à structurer un nouveau type d'appartenance basé sur le malaise pour ne pas perdre les acquis formels (matériels...) de l'itinéraire de vie jusque là parcouru. Ce temps d'appartenance au malaise sert aussi souvent, de fait, de temps d'accommodation nécessaire au processus de changement. Geste et dépression sont alors des mécanismes au service d'une transformation, d'une adaptation.

6) La dimension temporelle comme analogie à la structure positionnelle

La fusion-individuation, c'est une variante analogue à l'espace-temps considéré dans l'écologie ou mouvance humaine. L'individualité se détermine dans l'interaction comme la matérialité physique tridimensionnelle est usuellement appréhendée. L'affectif fusionnel échappe à cette détermination pour former avec sa polarité (individualité) la dialectique pulsatile fusion-individuation qui est l'équivalent de la temporalité. L'espace est le lieu du mouvement comme le temps en est le rythme. La fusion est une autre dimension de l'individualité ainsi que le temps l'est de l'espace. Et pourtant, les deux termes échappent l'un à l'autre dans leur coexistence. La métastructure du champ polarisé (le même et le différent) correspond à cet engramme humain fusion-individuation. Elle a le même fondement à l'égard de l'engramme physique analogique l'espace-temps : « le différent » est de soi la loi de l'espace physique qu'une pulsation espace-temps permet d'annuler par son rythme, lequel ouvre « le même » à travers la reduplication fondamentale des processus.

espace	vs	espace-temps
individuation	vs	individuation-fusion

Stabilité-mouvement correspond à espace-espace / temps ou individuation-individuation / fusion. Le propre de l'appartenance (comme dans Moi vs appartenance) c'est d'être, au départ, une identité dont elle en sera une autre dimension qu'elle intégrera nécessairement dans sa mouvance (on aura alors Moi vs Moi-appartenance). Cette métastructure fondamentale des champs polarisés, qui relève de la mouvance de l'identité humaine, se retrouvera donc calquée sur le réel de l'espace-temps à travers la polarité stabilité-mouvement (espace-espace / temps) ou sécurité-liberté (individuation-individuation / fusion). Tout vécu de couple dans son cheminement d'identité va devoir se situer dans ce processus où chacun habitera davantage un pôle aux fins de la clarification moïque. Curieusement, vue dans ce schème, l'individualité, c'est la sécurité (et, si on se souvient, le rôle) alors que la liberté, c'est le mouvement, l'individuation-fusion, la position, l'appartenance.

rôle	vs	position (rôle-position)
stabilité	vs	mouvement (stabilité-mouvement)
sécurité	vs	liberté (sécurité-liberté)

Par ailleurs, si l'on considère la perception de l'espace de façon immédiate, sans le décalage de la temporalité l'impact de la sensation physique sur le mouvement des corps sera celle qui prédominera et le vécu de liberté s'extirpera de cette focalisation sentie. En rapport avec le schème antérieur, on a un rapport de réversivilité totale lié au niveau perceptuel.

rôle	vs	position
liberté	vs	sécurité
mouvement	vs	stabilité

7) Concrétude et capacité symbolique

Jusqu'à un certain point, les structures concrètes vivront la liberté dans l'actualisation du rôle qui génère un senti perceptuel de l'ordre du corps et du toucher. Dans la même situation, les structures plus symboliques (avec intégration de la temporalité) auront un vécu de liberté dans l'aménagement positionnel lié au rythme du rôle à la position. L'un se sentira libre dans son choix d'aimer. L'autre se sentira vivre libre du fait d'être amoureux. On pourra déduire de ce fait l'articulation positive d'une structure concrète avec une structure symbolique dans la formation d'un couple. L'état structurel complémentaire génère une réversibilité totale simultanée qui permet à chacun de vivre les deux pôles à des niveaux différents mais apporte, au niveau du senti, le vécu de similitude fusionnel à même de produire l'impression intégratrice de la réciprocité.

Structure concrète : liberté par le rôle
Structure symbolique : liberté dans le vécu positionnel (rythme rôle-position)

couple
1. concret avec symbolique
2. rôle avec position
3. liberté par le rôle avec liberté liée au vécu d'appartenance
4. sensation de liberté mutuelle génère impression de réciprocité.
5. le pôle sécurité suit le même aménagement inversé.

Les champs polarisés prennent une texture particulière quand ils définissent les rapports d'identité en mouvement : X vs Y : X vs XY (ex. :

X- = espace Y = temps). Cette particularité, liée à la relation de deux niveaux différents, va disparaître quand chaque entité sera clarifiée pour elle-même (ex. : espace = éloignement - rapprochement, temps = vie-mort) et se complexifiera par interaction quand plusieurs entités mises en corrélation expliciteront les tonalités du vécu. Ainsi l'espace (éloignement - rapprochement) où jouent les corps biologiques (tension-détente) donnera préhension à la mise en œuvre de la sexualité. Tension-détente et éloignement-rapprochement sont des mouvements intrinsèques de la pulsion libidinale et toute vie de couple se verra imprimée de ces dynamiques ou jeux relationnels fondamentaux. De même façon le temps (vie-mort) où la socialité (intériorité-extériorité) devient significative forcera la mimésis d'appartenance. Vie-mort et intériorité-extériorité sont les mouvements inhérents à la pulsion mémétique (capacité). L'un (espace-biologique) s'exprimera à travers l'individualité, l'autre (temps-socialité) par la fusion affective. L'individualité (déterminé-flou) prise dans son rapport à la socialité (intériorité-extériorité) générera, à travers la sexualité dans l'espace-temps, la mouvance entre le désir et le nirvana. La fusion (senti-vide) «élaborée» dans sa concomitance au corps biologique (tension-détente) induira, à travers l'appartenance dans l'espace-temps, la dramatique intensité de la perte et de la possession. Toutes ces entités (elles-mêmes champ polarisé ou mouvement), mises en interaction les unes aux autres, situent les mouvements ou vécus plus complexes dont nous sommes parts. Les corrélations et les possibilités sont infinies. Pour le plaisir, nous avons établi un des organigrammes possibles qui donne l'éventail structurel des principaux champs polarisés. Le schéma décrit doit être indicateur de mouvement (exprimé par le cheminement sur un cercle) et ceci en trois dimensions (donc un double cercle de mouvement : un parallèle au plan de la famille et d'autres perpendiculaires à ce plan sphérique dans une troisième dimension).

8) Schéma d'un éventail intégratif des espaces polarisés

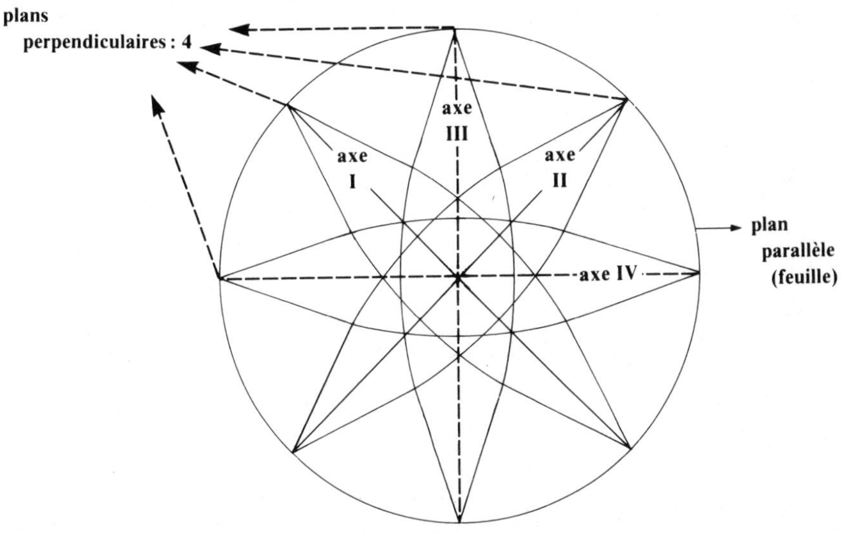

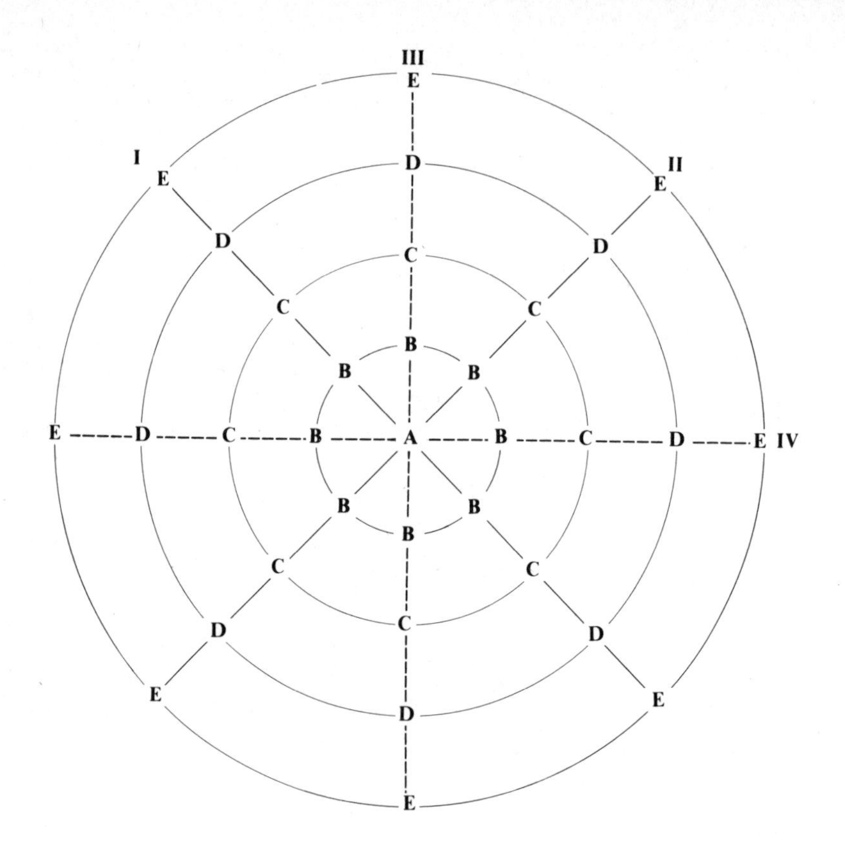

Nous déterminons un point central dit A ou nœud des échanges. En regard de ce point central, nous situons quatre axes d'échanges :

1. symbolique (lié aux mots et à la connaissance)
2. structure sociale (échange des femmes au sens de Levi-Strauss)
3. fonctionnel (besoins)
4. existentielle (de survie : biens)

Nous appellerons les deux premières : primaires, les deux dernières : secondaires.

À partir de ce même point pivot (A), nous déterminerons des cercles concentriques qui entrecoupent les axes de façon symétrique. Ce seront les niveaux de corrélation que nous mettrons en évidence. Nous les nommerons d'une lettre de l'alphabet : B, C, D, E. La présence d'un apostrophe les situant sur les axes secondaires : B', C', D', E', celles sans apostrophe se trouvant sur les axes primaires.

$B\text{-}B_1$: corrélation d'intégration et d'adaptation au réel.
$C\text{-}C_1$: corrélation d'adaptation individuelle
(celles sans apostrophe correspondant aux catégories de H. Laborit)
$D\text{-}D_1$: corrélation d'intégration individuelle
$E\text{-}E_1$: corrélation d'intégration et d'adaptation sociales.

Ce schéma constitue un espace où pourront se situer la plupart des champs polarisés fondamentaux à la dynamique écologique humaine, du moins ceux considérées dans ce manuel. La texture même des corrélations sera exprimée en champs polarisés, entendu que chaque axe est lui-même un cercle concentrique (perpendiculaire), ce qui est figuré comme indicateur de mouvement. Chaque point d'une corrélation qui entrecoupe un axe situe donc un espace polarisé simultané sur l'axe et la corrélation. En même temps, deux points ou deux pôles d'espaces polarisés de deux corrélations voisines font apparaître un autre champ polarisé à la fois sur le lieu précisé entre les deux points du même axe mais aussi dans le mouvement possible de cet axe. Un schéma ainsi représenté avec divers niveaux de mouvements permet une multitude d'associations, comme il en est de fait de ces engrammes structuraux pour situer les multiples facettes du réel.

Axes / Corrélations et espaces polarisés	**Symbolique I**	**Sociaux II**	**Survie Existentiel III**	**Fonctionnel IV**
Corrélation d'intégration au réel	Fusion-Individuation	Espace-temps		
Corrélation d'adaptation au réel			Biologique-Socialité	Appartenance-sexualité
Corrélation d'adaptation individuelle	Régressivité vs contact-inhibition	Consommation vs Evitement	Intégration-Réactivité	Dépendance-Réciprocité
Lieux de connexion de l'adaptation de l'individu au réel	Déterminé-Flou Senti-Vide	Vie-Mort Éloignement-Rapprochemnt	Intériorité-Extériorité Tension-Détente	Possession-Perte Désir-Nirvana

Corrélation intégrative individuelle	Médiums Fusionnels vs cohérences	Positions vs rôles	Capacité vs modulation	Contingence vs continuité
Lieux de connexion entre l'adaptation et l'intégration individuelle	Contrôle / sécurité vs Liberté / choix	Stabilité / sécurité vs Liberté / mouvement	Exploitant / exploité vs compétition / complémentarité	Affirmation / effacement vs sado-masochisme
Corrélation intégrative sociale	Rituels vs mythes	Institutions vs Identités		
Corrélation évolutive sociale			Sélection naturelle vs adaptation	Pression sociale vs néoténie
Lieux de connexion entre l'adaptation individuelle et l'intégration sociale ou en devenir	Conformité vs réversibilité	Permanence vs relativité	Pouvoir vs Adéquation	Évolution vs mutation

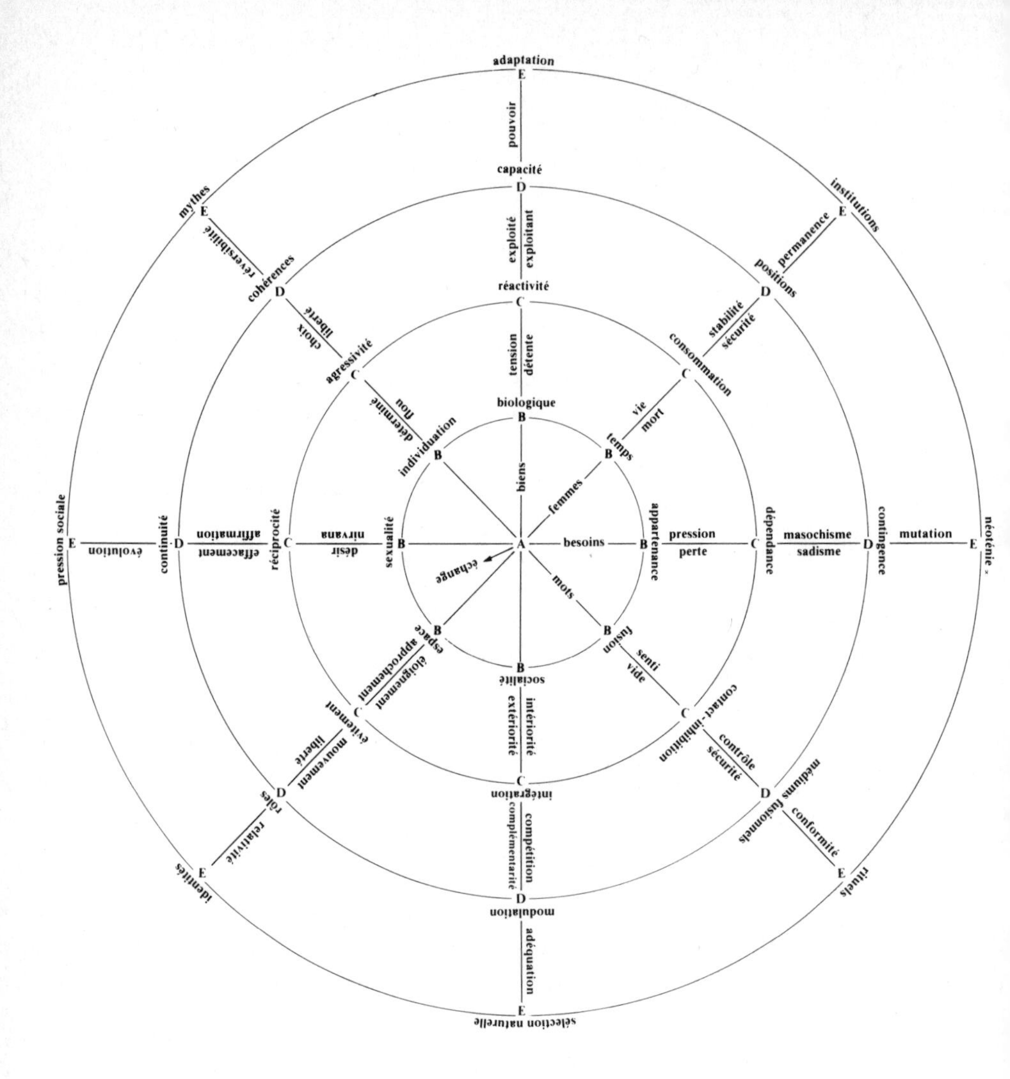

9) *Les champs polarisés structuraux ou réflexes*

Les champs polarisés issus des conditions fondamentales de l'existence, de l'intégration et de l'adaptation au réel, seront appelés champs polarisés réflexes. Toute relation situera nécessairement les mouvements qui y sont inhérents. Moins ils seront lieu d'identité, plus la réversibilité sera automatique. ainsi, l'éloignement-rapprochement est un mouvement naturel à toute relation. Si cette mouvance n'est pas beaucoup investie en termes de dynamique d'identité, la démarche circonstantielle (par besoins internes ou sous l'impact de phénomènes extérieurs) de l'un des partenaires induira dans le temps la contre-partie chez l'autre: par exemple, le rapprochement créera l'agir d'éloignement et vice-versa. Si les processus d'identité investissent davantage cette mouvance, elle sera alors lieu d'un seuil de réversibilité (déjà décrit). En parallèle, elle se conjuguera à un autre champ polarisé pour situer un espace polarisé de deux niveaux différents (espace-temps vs espace - espace / temps ou rôle - positions) où, grâce à la complémentarité des structures concrètes et symboliques, se vivra une impression de réciprocité totale.

10) Fluidité de la concrétude et perte de la réciprocité

C'est la fluctuation du taux concrétude-capacité symbolique qui sera le facteur essentiel de la perte de cette impression de réciprocité : la quotidienneté et le vieillissement (comme l'atteinte organique ou les besoins de survie) amplifieront l'importance de la concrétude. Le vécu événementiel, en particulier celui qui est relié aux périodes plus fortement adaptatives (départ des enfants, changement de travail...), fera office d'agent de rupture sur certains aménagements symboliques significatifs. Le tout occasionnera un dépassement des seuils déjà décrits avec, en général, dans un premier temps, un investissement des rôles lié à une perte positionnelle et, en second lieu, une récupération positionnelle qui ne sera plus nécessairement moulée sur le collectif du couple mais sur des aménagements de nouvelles appartenances même si ces derniers sont camouflées sous la forme de l'ancienne. Le plus souvent, on assistera à une reduplication simple ou inversée de la première relation mais revitalisée par l'impression perceptuelle immédiate : évitement dépressif (dépression du couple), récupération «élative» d'identité oubliée, renforcement des cohérences, vu la reduplication nécessairement niée. L'orchestration du vécu polarisé à partir de l'attribution mimétique et de l'inhérence reduplicative est le fondement même de la stabilité et de l'intégrité sociale : le mouvement évolutif s'insérant sous un seuil de changement progressif et tolérable.

11) La reduplication

Le premier type de reduplication va se retrouver dans les processus d'identification soit par imitation simple soit par polarité avec réversibilité dans le temps (déjà décrit). Le second va s'aménager à travers la structure formelle de la succession des générations.

Un couple se génère d'une polarité A' vs B'
Un enfant structure sa relation avec le parent A dans l'espace polarisé A' vs b''
L'enfant devient adulte (b'' devient B'') et recrée l'espace polarisé avec son enfant B'' vs a'''
L'enfant de 3° génération devient adulte et a''' devient A''' comme un des grand-parents.

Ce sera le principe des générations alternées. Ainsi, le fils ou la fille en différence polarisée de la mère (sans réversibilité, avec identification au père) quittera son milieu pour fonder sa propre famille et retrouvera dans un de ses fils ou filles une reduplication des traits de caractère de sa mère (A' = A'''). Il en est de même de la forme structurelle où la performance de la génération parentale est usuellement du niveau de la survie (A' et A''') est en polarité souvent dégagée de ces contraintes. Ce que la loi des uns structure est adoucie ou atténuée par la complicité naturelle des autres.

L'intériorité qui, par son accès symbolique plus accentué, peut être source de différence, n'échappe pas, dans son rapport polarisé vis-à-vis la concrétude, à une modalité de «forme» analogue aux autres. Il y a l'accentuation symbolique qui, par sa distance, ouvre l'individualité vers une divergence possible. Il y a la position d'intériorité qui n'est que le lieu d'un rapport polarisé à l'autre. Il existe pour les collectifs un seuil de cette intériorité qui, s'il s'accentue (s'élève), correspond à la désagrégation de ce collectif. Ce qui est redupliqué dans l'histoire des civilisations, c'est cette rythmique du rapport concrétude-intériorité qui génère la fusion-individuation. La connaissance, c'est la capacité d'adaptation humaine, le mimétisme, l'espace polarisé, la divergence individualisée symbolique, l'intégration des processus affectifs dans la pulsation de la fusion-individuation, l'évolution. Si la séquence de l'ordre des formes de vie est d'abord tributaire des mutations, il n'est pas sûr que la prochaine étape se génère des processus de connaissance!

12) L'intériorité comme forme concrète, polarité du processus d'industrialisation

Romantisme et existentialisme (au XIXe siècle et XXe siècle) sont frères jumeaux et versants d'intériorité aux collectifs urbanisés et industriels de notre époque. La déshumanisation ou l'indifférenciation de la forme collective force une dramatisation de l'intériorité qui en est l'expression d'équilibre. Industrialisation et romantisme révèlent en arrière-plan une similitude qui est celle de l'atténuation de la relation affective sociale au profit du processus productif et de l'individualisme. Industrialisation et romantisme sont espace polarisé de cette atténuation affective (mouvement qui va de la fusion vers l'individuation). La valeur contemporaine sera de dénoncer tout forme d'imprégnation de l'un sur l'autre (exploitant-exploité, sadomasochisme...) pour la remettre au sein de l'individu. La quête intérieure conduit inéluctablement à une prise de pouvoir sur soi dont le prix est une certaine mise à distance affective. On se regarde se vivre. L'intensité relationnelle qui est refusée sera recanalisée dans cette dramatique intérieure, devenant alors lieu d'esclavage et de sadomasochisme.

13) Pulsion de mort et sadomasochisme

La proximité de plus en plus importante des collectifs humains réduit l'individu à aménager en lui la même distance qui s'atténue de plus en plus dans l'environnement. La portée principale de ce mouvement, c'est la régulation de l'agressivité liée à la présence des corps et des tensions libidinales inhérentes. Si la dé(s)-affectivité des structures institutionnelles modernes, issue du même mouvement, gère mieux les interactions au sein du collectif, par contre elle n'alimente plus l'intensité mimétique susceptible de récupérer cette énergie (agressivité) au profit du collectif. La voie est alors ouverte à cette dramatisation intérieure qui, au sein des structures concrètes, se galvanizesa par une intensification de la forme de l'image, avec une fixité ou rigidité plus violente pour lui et pour les autres. Le sadomasochisme s'inscrira dans une forme légalisée institutionnelle, la quête d'une mythique fusionnelle intransigeante, l'actualisation d'agirs plus déviants (ou l'aspect non fonctionnel de l'intériorité à ce niveau), l'éclosion d'un processus morbide individuel appelée maladie dépressive. La personnalité qui atteint un plus haut degré symbolique se piégera dans le jeu du refoulement de ses images et sa détresse se perdra dans son dédale dit névrotique.

L'intensité qui anime un individu est en rapport étroit à sa «pulsion de mort». La polarité vie-mort de la dimension temporelle, la pulsation générée, c'est le décalage ou l'intensité à assumer. Si on se réfère à un point inerte, tout mouvement prendra autant d'énergie + et - pour revenir à ce point.

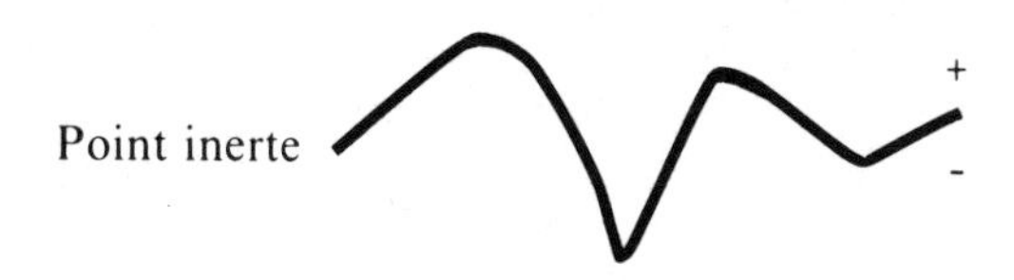

Pour assumer les limites de sa réalité ou son inertie finale (mort) les expressions de vie alterneront avec celles de mort dans cette adaptation progressive au «ne plus être». La possessivité, qui situe une position n'est qu'une façon plus rapprochée, plus vécue à deux ou à travers l'autre, de se confronter aux limites du réel. La dépression du couple, le plus souvent proximale au 2e enfant, exprimera le début de cette réverbération de l'intensité de mort de chaque conjoint.

14) Intensité amoureuse et sujétion mimétiques

La relation de couple, en termes d'intensité, assumera le tamponnement ou la pulsion de mort des conjoints. La séparation et le deuil sont les cassures d'une intimité sadomasochiste naturelle, inévitable. Dans l'un, on fait assumer au collectif (habituellement à travers celui qui assume la «position») une détresse individuelle trop forte (incapacité de vivre certaines limites), dans l'autre, le survivant est confronté à la perte (inverse de la possessivité) donc à vivre la détresse qu'une possessivité antérieure aurait atténuée temporairement ou en partie.

L'intensité amoureuse se générera souvent de l'intensité de mort qu'un conjoint assume pour l'autre. Plus il y a un vécu de nécessité (vie-mort), plus la détresse est lieu d'un sens de vivre épanouissant en ce qu'il structure une valorisation dans l'identité. La diffusion amoureuse, c'est l'équivalent d'une dramatisation intériorisée, c'est l'actualisation sociale du sens qui lie l'affect et la capacité cognitive, la jonction religieuse du «bien» ou la clarté élative de l'adéquation appellative de l'étant. L'état amoureux, c'est la sujétion mimétique fondamentale, la mise en œuvre la plus pure de cet état du désir qui va annihiler son être ($\propto 0$) mais dont l'exercice ou le mouvement tend à son accomplissement (somme : $\propto 1$).

SYNOPSIS

Le champ polarisé permet - *la similitude*
- *la différence*

Similitude : Appartenance, position, similarité métaphorique, en regard du temps

Différence : Moi, rôle, contiguïté métonymique, interaction dans l'espace

Le circuit standard d'identité au sein du couple

Identité de l'un → *qui détermine* → *Appartenance* → *qui détermine* → *Identité de l'autre*

Identité de l'un ← *au service de* ← *Appartenance* ← *au service de* ← *Identité de l'autre*

Réversibilité

partielle : *apportée par rôles et positions stéréotypées*

seuil : *taux de réversibilité admissible en fonction de l'aménagement des rôles et positions d'identité*

totale : *impression liée pour un temps à la complémentarité des structures concrètes et symboliques des conjoints.*
pour le concret : liberté dans le rôle et sécurité dans la position
pour le symbolique : liberté dans l'appartenance et sécurité dans le rôle

automatique : *issue des champs polarisés réflexes (inhérents aux conditions d'exister) quand ils sont peu investis par les processus d'identité : ex. : éloignement-rapprochement*

Reduplication
imitation
champ polarisé
générations alternées.

Sadomasochisme : le couple, lieu de l'actualisation des pulsions de mort et de vie qui accomplit l'individu dans sa sujétion mimétique.

Applications

Le suicide : mourir pour vivre

L'attitude des gens devant la mort varie sensiblement d'une culture ou d'une époque à l'autre. Selon les époques, certains l'apprivoisent et la vivent comme un écoulement rituel de leur destinée. D'autres essaient de l'éloigner avec des incantations, voire de la refouler, de lui interdire l'accès au champ de conscience (1). Plus le focus est mis sur l'individu, et sur son épanouissement, plus la mort est aberrante et doit se dissimuler derrière un univers symbolique où la «castration» joue comme illusion du vécu (2).

Si la mort n'était pas, où serait la vie ? Ce couple est indissociable. Ce sont les deux termes polarisés d'une dynamique, en fait d'un système écologique où l'un et l'autre se définissent mutuellement. Les mots dénaturent le réel quand on les isole de leur «mouvance». Mort et vie traduisent la pulsation biologique, en fait un mode d'exister, d'être dans l'espace et le temps, donc dans une continuité assurée par une «forme» énergétique (3). La gestalt de la matière prend consistance dans le champ de force de l'atome tandis que la gestalt biologique utilise la pulsation mort-vie pour assurer sa mobilisation et son être au monde. Reproduction, mutation génétique, mémoire ..., ces caractéristiques entérinent le cycle de la vie où la mort permet la créativité du champ biologique (4).

En psychiatrie, une variété fréquente de la mort à laquelle nous sommes confrontés est celle de type suicidaire. Il est difficile de l'envisager d'un angle positif face au nihilisme qu'elle introduit dans nos valeurs individuées. Notre fonction de thérapeute a bien besoin de la considérer comme un manque, une carence, où un sens à une relation avec le client s'établit de soi-même. Il n'existe aucune recherche sur les conséquences d'un tel geste en regard de l'environnement humain du suicidé par la suite. Il n'y a pas d'études possibles sur la qualité de la vie qu'auraient eue ceux qui ne sont plus !

Ce qui particularise cette mort, c'est qu'elle survient chez des êtres doués de conscience. Malgré l'énorme récupération de la maladie mentale pour atténuer ce fait, il reste que, le plus souvent, la capacité d'intentionnalité demeure. Ce choix, dont les diagnostics sur les aberrations rassurent, n'en pas moins dans une constellation réfléchie et, en fait, constitue pour le suicidaire la solution la meilleure au problème posé. Il y a donc agir vers un mieux, tentative de briser un champ de réalité plus destructeur, mobilisation positive (5).

Ce fait est bien étayé par la démesure entre les morts effectives et les tentatives ratées. De façon variable, d'un endroit à l'autre, on estime ces manipulations avec la mort de 10 à 50 fois plus nombreuses que celles réussies (et encore !) Nous ne connaissons pas l'histoire passée relative à ce sujet mais présentement ces agirs présentent une des modalités importantes d'action de l'être humain sur son destin, en fait soit sur lui-même soit sur le tissu social proximal dont il fait partie. On pourrait peut-être postuler que plus la vitalité va être grande, plus la polarisation mort-vie a de chances d'être réactivée dans son extrémisation.

Les lieux individuels et collectifs se présentent comme deux modalités qui nous semblent construire un autre champ de réalité, celui de l'humain. L'écologie de l'espace affectif va du moi aux autres, du narcissisme à la relation à travers une diffusion, un champ plus flou où l'attachement escamote les frontières (6). La mobilisation humaine oscille de la fusion à l'individuation dans un étalement existentiel où chaque pôle achemine l'autre en «mouvance» continuelle (7).

Le suicide est particulier à l'humain (99%). Il est la part d'un être conscient mais aussi d'un être affectif (100%). La solution suicidaire en est une en regard d'un système. Les conditions matérielles objectives y orientent parfois (voire souvent). Le mouvement affectif le permet. Une préoccupation constante doit concerner les deux. Le premier point explicite le pouvoir effectif soit acquis, soit structurel; le second concerne les types de mobilisation du champ humain (réseau) où le geste suicidaire est posé. Nous les résumerons pour le moment à trois: le médium symbolique, les rôles et comportements, les aménagements anaclitiques.

L'accès à une mentalisation symbolique ouvre toute une voie où la réalité peut-être traitée en décalage, un univers où le jeu fantasmatique allié au vécu pulsionnel permet l'élaboration de cohérences et, en fait, la mise en place d'identités. L'individuation en est le mythe au sein d'un jeu sur l'aménagement de la distance aux autres. Vu l'élasticité des possibles, le geste suicidaire est plus rare, voire impossible dans son type absolu. C'est la coexistence avec une des deux autres catégories qui permet le passage à l'acte, généralement au sein d'une dramatisation où le processus de mort est utilisé de façon passagère pour fonder une identité. Il s'agit de convaincre.

Les comportements sont les attitudes acquises sous l'influence des multiples déterminants d'un système. Ils incarnent la cohésion fonctionnelle de l'ensemble, chacun étant lié et entretenu par le mouvement des autres. Le rôle, c'est la cristallisation d'un groupe de ces comportements qui, au sein du système, tiennent une position polarisante. Il crée, par l'opposition inhérente à cette polarisation, une gestalt structurante d'unicité et d'individuation pour la ou les personnes qui l'occupe(nt). La mentalisation est ici fonctionnelle (8), la cohérence étant induite par le vécu. L'aménagement a moins de souplesse que le médium symbolique et son élasticité tient à la multiplicité possible des rôles pour une même personne (ouvrier, père, ami, amant...). La position sociale en constitue le mythe au sein d'un jeu sur l'interaction des individus. La fréquence de tentative suicidaire est ici très importante, liée à la fois à l'agir propre à ce fonctionnement et à la rigidité d'investissement de certains rôles qui appauvrissent le reste du vécu. La vulnérabilité au milieu y est aussi très importante et primordiale. Vu l'interaction, il s'agit d'intervenir. Le milieu, comme l'individu, peut être à la base de l'acte suicidaire. Le processus de mort est utilisé pour changer une polarisation insatisfaisante du système. Il s'agit ici de contraindre.

Les aménagements anaclitiques (9) font appel au vécu qui s'aménage un «respir» à travers l'autre. Il n'y a pas d'intentionnalité symbolique ou réflexe. Le sens vital n'est pas appréhendé. Il est senti et véhiculé dans une diffusion affective qui nécessite un autre proximal. La mentalisation est empruntée, fonctionnelle ou à caractère symbolique poreux. L'organisation du quotidien est stéréotypée et souvent figée. La cellule familiale ou l'amour en constitue le mythe au sein d'un jeu sur l'aménagement d'une permanence de ve. La vulnérabilité à l'autre est entière. Le geste suicidaire est moins fréquent que dans la deuxième classe mais nettement plus décisif. Il est très réactionnel au changement de l'autre, le plus souvent à sa disparition. Le processus de mort est utilisé pour finaliser un cycle de vie devenu vide. Il s'agit de conclure.

Les trois classes, ci-haut mentionnées, se retrouvent rarement à l'état pur. C'est le plus souvent un aménagement de ces mobilisations au sein d'un système individu-environnement. L'importance de ces dynamiques doit être retenue dans leurs entrelacs qui constituent le réseau (10). Toutefois, un dernier point à retenir, c'est que la tentative de suicide est un geste, un agir. Elle relève, dans sa finalité matérielle, de la deuxième catégorie. Elle est comportement au sein d'une gestalt ayant pour but de la changer. Il y a champ de réalité insatisfaisant. La thérapie devra peut-être être considérée comme action ou potentialisatrice du geste qui réaménagera l'équilibre du système.

Abdullah, 24 ans, est jeune hindou plutôt solitaire. Il a quitté sa famille en difficultés pour aller gagner de l'argent à l'étranger. Après le Congo, c'est le Québec. Lors d'un épisode dissociatif, on essaie de le maintenir en externe. Quelques semaines plus tard, il faut l'hospitaliser. La dissociation est majeure, la dépression s'y rajoute. La famille lui écrit pour avoir de l'aide. Il refuse qu'on communique avec elle. Il n'est pas question d'un retour chez lui. Aussitôt qu'il a un peu d'argent du Bien-Être, il envoie tout chez lui. Après six mois, il sort. Il fait plusieurs tentatives de retour au travail. Mais en vain. Il est vu fréquemment, plusieurs fois par semaine. Il ne veut pas être réhospitalisé. Lors d'une fin de semaine plus longue (congé férié), il se jette en bas du 17ième étage.

Jacques est impulsif, coléreux, marié en seconde noce à une femme assez froide. Ils ont un garçon. La mère se consacre au fils. Jacques manque d'attention, ne réussit à faire des gains qu'en intensifiant son agressivité dans la relation de couple. Son fils devient adolescent et Jacques approche de la soixantaine. Madame tolère la situation et n'attend que l'éclat pour rompre et quitter avec son fils. Ce dernier a seize ans quand une dispute avec son père l'amène à partir. Sa mère le suit. Jacques fait une tentative de suicide (pilules). Par la suite, madame vient s'en occuper à la maison deux jours par semaine. Puis, elle arrête. Nouvelle tentative de suicide. On se refuse à toute remise en question ou, à l'inverse, à une coupure définitive. Mme revient s'occuper de la maison de son mari. Quelques mois plus tard, nouvelle dispute. Elle arrête ses visites. Nouvelle tentative de suicide. Elle a reçu un téléphone de son mari tôt le matin. Elle ne prévient la police que dans l'après-midi. Monsieur décède dans l'ambulance.

Dans ces deux exemples, le milieu est concerné. Que ce soit dans ses conditions structurelles, comme dans le premier cas, ou dans une mobilisation qui semble plus active au sein du réseau, dans le second exemple, il en reste un équilibre quelconque au sein d'un système ouvert (qui va de la dynamique interne des individus à leurs institutions sociales). Le geste suicidaire est la solution esquissée à un état vécu souffrant afin de le modifier. Il s'agit d'un agir qui, tenant compte des autres éléments du tissu social de l'individu, est un feed-back à des mouvements qui ont créé un déséquilibre.

Williams est un homme âgé de soixante-six ans. Il présente une structure anaclitique importante. Toute sa vie, il a eu un petit commerce qui lui a permis une vie juste décente. Vu la santé nécessaire à cette tâche, il doit la laisser à un de ses fils. Quelques mois plus tard, sa femme meurt de façon soudaine. Il évite son deuil en s'attachant à une amie de sa femme. Quand cette dernière refuse ses avances, il cède à un désespoir qui, au bout d'un mois, l'amène à se jeter sous une rame de métro. Après plusieurs semaines de «rapiéçage» physique et psychologique, il se trouve un foyer pour gens âgés. L'alliance thérapeutique a permis à travers le réseau psychiatrique une survie qui peu à peu a été ramenée vers un réseau naturel (ou plutôt s'agit-il d'une institution adaptée?)

En psychiatrie, diverses actions se sont développées comme pattern d'intervention au sein des systèmes: médication, réseau induit dans le transfert ou l'alliance, appareils cognitifs structurants facilités à travers les thérapies, hospitalisation ou asile en regard des résidus occasionnels ou définitifs, etc... D'autres formes d'agirs sont maintenant utilisées en relation plus directe avec milieu: thérapie familiale, de groupe, approche de réseau... Dans ce dernier cas, l'action y est moins canalisée (sauf quand il s'agit de croissance) dans un processus mais vise d'emblée le point de déséquilibre, la mobilisation aliénante qui y est consécutive, le changement le plus simple qui ne nécessitera plus la solution suicidaire.

Annette a pris des pilules. Le tout survient suite à une série de circonstances où son mari, personnage plutôt effacé, réalise le rêve de sa vie dans un travail. La patiente est dominatrice, envahissante. La vie de couple est devenue saturée de crises. La réalisation du projet n'est pas une affirmation du mari en relation à sa femme mais l'aménagement d'un vécu désiré (cuisinier). Peu à peu, le couple interroge sa réalité, déplace quelques priorités et achète le restaurant. Annette le gérera.

Raymonde a cinquante-six ans. Elle a eu un vécu relativement dépendant. Elle en est à sa seconde tentative de suicide (pilules) rapprochée. Son mari a eu un infarctus il y a six mois. Il ne travaille plus et en fait fantasme sur une invalidité appréhendée. D'hyperactif, il devient passif. Son anxiété est à son paroxysme. La mort le terrifie. Nous établissons l'alliance avec lui et le prenons en traitement de ventilation. Il reprend le travail trois mois plus tard. Il n'y aura plus de tentative suicidaire. Madame a commencé à développer des aménagements familiaux et sociaux dans l'élargissement vécu nécessaire de son réseau.

La psychiatrie, comme telle, est un service institutionnalisé que la population apprend à utiliser et qui, à certains moments, fait partie de ce fait de leur réseau proximal. Elle devient un élément de leur système réutilisé parfois avec facilité. Mentionnons en premier l'habitude réflexe de la tentative suicidaire lors des moments de tension les moindrement importants ou dans une gestalt inconfortable qui a besoin de façon cyclique d'une soupape en termes de crise ou de distance temporaire. En second, nous pouvons citer les grands angoissés qui ont été pris de façon parfois inconsidérées dans des processus thérapeutiques dont l'effet bénéfique n'a duré que l'espace des traitements. Ils se retrouvent entre chaque thérapie au sein d'un vide qu'une tentative suicidaire appropriée permet de reconduire au long du mirage d'un nouveau thérapeute. Enfin, toute une série de cas marginaux auxquels la psychiatrie a appris divers jeux morbides, les uns suite aux circonstances, les autres fourvoyés à la recherche d'identité et de l'écoute d'un sens, les derniers écartelés dans l'apprentissage de rôles complémentaires aux besoins des traitants.

Brigitte a vingt-huit ans. Suite au décès du père, alors qu'elle avait treize ans, elle fait une première tentative de suicide. Elle va successivement à deux asiles où elle passera son adolescence. Elle en sort à dix-huit ans après de multiples acting-out. Jusqu'à vingt-six ans, elle se fait une vie marginale dont on n'entend plus parler. À ce moment, sa plus jeune sœur fait une tentative de suicide. Brigitte récidive alors avec trois tentatives consécutives dont la dernière avec sa sœur. La compréhension saisie à ce moment du réseau nous amène à retirer l'aide apportée spontanément à Brigitte à la première de ses tentatives. Pour le moment, après plusieurs mois, tout semble bien aller. La réactivation du réseau psychiatrique, plutôt que d'aider, semblait avoir éveillé tout le non-sens d'un passé. Trop souvent, on ne sait pas refuser d'aider.

Le projet de mourir est souvent la solution la plus pertinente à une mobilisation vitale enrayée. Son actualisation vise l'équilibre insatisfaisant d'un système. À comprendre le geste suicidaire comme une solution positive, on est peu a peu amené à des agirs dit thérapeutiques. Leur portée est d'élargir les possibilités d'intervention qui éviteront au sujet d'investir une telle solution... à moins que, de façon existentielle, elle soit la plus humaine et peut-être la plus vitale...

RÉFÉRENCES OU NOTICES

1- Essais sur l'histoire de la mort en Occident
Philippe Ariès, Ed. du seuil, 1975

2- La castration est l'équivalent symbolique de la mort dans l'aménagement de la structure névrotique. L'accession à la capacité symbolique est un prérequis nécessaire à une telle structure.

3- On appellera «nervure» l'entité dont l'existence est déterminée par une polarisation. Ainsi, la «nervure biolog» est créée par le champ paradoxal pulsatif de la vie et de la mort, la «nervure humaine» est étayée par la dynamique instable de la fusion-individuation.

4- toute l'évolution des espèces tient aux mutations, donc à la reproduction et, compte-tenu des limites du terroir, à la mort pour une vie plus adaptée. La discipline écologique est née de cette compréhension de l'aménagement d'un ensemble dans la «mouvance» mort-vie qui met les différentes espèces en interaction vitale nécessaire (exemple : la nourriture).

5- Les suicidés
Jean Baechler, Ed. Calmann-Lévy, 1975

6- On trouvera des exemples simples de diffusion affective chez le jeune bébé dans sa phase dite symbiotique, dans ce que l'on appelle communément amour, dans des vécus plus complexes, sociaux, tel l'appartenance ou le patriotisme.

7- De la présence à la solitude ou la fusion-individuation
Texte non publié. Daniel Bélec, Claude Gendreau

8- Nous faisons appel au processus de réflexion dans son aspect formel et strictement mécanique de l'interaction associative.

9- Le terme anaclitique fait appel à la dépendance mais il est utilisé ici plus précisement pour esquisser le fait d'un état de diffusion affective.

10- Quand nous utilisons le terme «réseau», ce n'est pas en référence à la thérapie de réseau que certains auteurs anglophones ou américains développent mais à une approche dite de réseau qui considère le champ humain comme une gestalt incluant et allant des dynamiques internes des individus, aux interactions et à leurs institutions sociales.

LE QUÉBEC

Pour illustrer l'élaboration d'un soi de type collectif, il nous est apparu que cet exemple d'incidence très contemporaine serait à même de nous mobiliser ainsi que nos lecteurs dans cette recherche consistant à retracer les divers mécanismes qui participent à la gestation d'une telle entité.

Dans un chapitre antérieur sur la sociologie affective, nous avons décrit un mouvement, une dialectique, en fait une forme de reproduction sociale des processus collectifs qui se cristallisaient au sein du champ historique par cette alternance rythmique de la fusion-individuation. Nous donnions en exemple un groupe qui, mécontent d'un consensus collectif, est amené à un certain deuil (et / ou individuation), ce qui l'amène à regénérer un nouveau consensus de mobilisation. Nous citions aussi avec A. Toynbee quelques facteurs qui, dans l'histoire des civilisations, président usuellement à un tel renouveau : religion, invasions barbares, détérioration de l'ancien collectif. Au niveau d'une petite nation, ces faits seront de moindre amplitude mais nous devrions retrouver des processus analogues avec l'insertion d'un mouvement d'identité à la mesure du collectif en amorce.

Pour le Québec, l'héritage culturel de la mère-patrie aura plus de continuité. La détérioration de l'ancien collectif sera limitée et ce pourrait être qu'un bouleversement majeur de cette société sans qu'elle ne disparaisse (transformation sociale qui a permis la révolution française). Il n'y aura pas nécessairement nouvelle religion mais processus analogue ou récupération et revitalisation d'une «extrémisation» religieuse. Ce qui permettra la transition, c'est surtout le deuil de ce tout collectif que la défaite de 1760 concrétisera et le même phénomène situé antérieurement au niveau de chaque individu.

Si nous nous replaçons au début de la colonie, nous y retrouvons un groupe de marginaux, d'exclus et «à tout le moins» d'exilés d'une mère-patrie qui commence à être à l'étroit dans sa structure féodale. Ce noyau initial se compose de sous-groupes hétéroclites : paysans sans terre à la recherche d'une possibilité de vivre sans être écrasés par les impôts ; clergé se mobilisant pour une foi qui se traduirait dans la praxis d'une quotidienneté et qui serait moins confrontée au paradoxe du pouvoir ostentatoire ; aventuriers, découvreurs, militaires ou aristocrates à la recherche de profits personnels en termes matériels ou de «glorioles» rentabilisés dans des intrigues de cour. La défaite de 1760 sera le moment préviligié où ceux qui n'ont pas actualisé le deuil de la mère-patrie laisseront la colonie pour rentrer au pays.

Nous pouvons considérer ce deuil initial comme préalable à la constitution d'une entité québécoise. La conquête concrétise la condition d'exilés, situe un renforcement d'appartenance par une égalisation socio-économique proximale de classe, rapproche de la population indigène défavorisée en même temps qu'elle amplifie à ce niveau un certain «mixage» lié au surplus d'hommes (surtout militaires désirant rester ici, en relation conséquente aux femmes autochtones). Le deuil éloigne du nouveau conquérant (même sorte de société que celle qui précède) ainsi que de ses représentants (exilés loyaux qui ne s'individueront pas en regard de leur mère patrie). Le type de colonialisme anglais qui contrôle les richesses commerciales introduit le décalage des classes économiques. Les traces culturelles et la langue favorisent la cristallisation des deux niveaux sociaux, la religion assurent la stabilisation de cette mise à distance par des investissements affectifs à plus long terme : passivité de repli sur le terroir, la procréation et, en fait, situation de survie et de continuité.

Comment un collectif élabore-t-il un vécu pour y donner une consistance telle que son imprégnation donne une vitalité d'être au monde suffisante à la 'production de son sens'? Quels sont les mécanismes qui régissent un mouvement collectif et lui donnent un souffle suffisamment élaboré afin qu'il se confronte au réel et ait une préhension adéquate sur ce dernier? Quelles sortes de conditions président à la mobilisation d'identité d'un groupe ou à l'aménagement soi-moi d'une entité sociale comme pulsation de vie de l'humanité à l'encontre de l'inertie et de la mort?

Pour expliciter l'aménagement soi-moi, nous grouperons les données en deux axes. Nous situerons le premier dans l'«imprégnation convergente existentielle», c'est-à-dire dans l'ensemble des imprégnations nécessaires (et des mécanismes s'y rattachant) à véhiculer un étant comme appartenance sociale d'être au monde. Cette consistance de base ne peut se réaliser que dans une force massive d'attraction exercée sur et par l'étant et ne pouvant être obtenue que par l'annulation de la distance. Le second, nous l'appréhenderons dans les termes «imprégnation existentielle de divergence» c'est-à-dire les imprégnations que les structures cognitives impliquent, l'aménagement de la distance et la différentiation (où de l'élaboration d'une cohérence ou d'un pouvoir comme suite d'une mise en rapport à l'Autre).

A- Imprégnation convergente existentielle

On peut concrétiser l'annulation de la distance au niveau des différentes dimensions qui le permettent, soit le temps, l'espace, l'Autre. Ce qui assure une préhension sur le temps c'est l'historicité d'un collectif. En d'autres termes, un des facteurs importants d'adhérence, c'est la continuité du champ social (unicité fusionnelle du groupe). Au Québec, après la conquête, on assiste à un repli dans une passivité de survie (politique analogue à celle de la «terre brûlée» ou, comme déjà citée, la répudiation affective d'un étant immobilisé) et un renforcement des valeurs religieuses et familiales.

Ce qui situe un collectif, c'est pour une part le fait d'être ensemble, en proximité, en contiguïté. La réalité géographique et celle du milieu ont imposé des caractéristiques qui influeront sur la mobilisation du groupe. Au Québec, les vastes territoires, l'éparpillement et l'accent longtemps mis sur la vie rurale ont favorisé une diffusion d'appartenance, ralenti le factuel de son affirmation mais, paradoxalement, maintenu une gestion artificielle du «dominant» qui n'a pu imprégner ou agir véritablement sur l'entité.

Enfin, l'annulation de la distance de soi à l'autre est conséquente à l'hypertrophie des schèmes structurels de base qui sont antérieurs au développement cognitif ou à la gestion du groupe. Nous rappelons que le schème est le 'consistant' intermédiaire entre la perception et le concept, entre l'imprégnation et la capacité cognitive d'un contrôle à cet égard. En tant que tel, il est le 'site' des diffusions affectives, de la mobilisation sociale qui est contrée dans sa réalisation effective (inaccessibilité au pouvoir ou au cognitif) car inexprimable dans sa totalité et pourtant lieu de son étant, c'est-à-dire de la foi élative à la suprématie de la vie sur la mort. Il s'agit en fait d'un processus réflexe d'une société qui lui est vital au sens existentiel. Nous parlerons d'abord de la survie qui est étroitement liée au processus d'attachement. Tout groupe qui se sent menacé intensifie ses forces fusionnelles. Nous avons déjà parlé du renforcement de la famille au Québec et nous ajoutons ici une de ses caractéristiques, soit la maternité comme valeur amplifiée et son impact à la longue, soit un envahissement matriarcal qui fixe l'attachement à l'instinctif inconditionnel.

En second lieu, tout collectif doit se générer un univers magique comme lieu de la toute puissance fusionnelle qui le véhicule (et / ou en fait être généré par). Nous mentionnerons en ce sens les conservations ou récupérations élatives que le processus religieux permet, ce qui a déjà été cité, en regard du Québec, comme facteur majeur de survie pendant ses deux siècles d'existence.

Enfin, la société, par l'accès aux structures cognitives et à la mentalisation, utilise la capacité signifiante des individus à développer des similarités pour renforcer le lieu de la consistance collective. Mentionnons la récupération sociale du sentiment d'être dominé, d'être en statut d'infériorité à un autre groupe, etc... Elle se fait en regard d'une distance à un Autre mais annule celle qui est à l'intérieur du groupe (impact de la mentalisation primitive structurelle où le sens est créé par la polarité).

Il existe de multiples mécanismes qui ont une portée sur l'intensification des forces imprégnantes lorsqu'ils sont appliqués à l'une des trois formes d'annulation de la distance (ce qui ne les empêche pas à d'autres moments d'être utilisés pour créer l'effet inverse). Nous faisons appel ici au phénomène d'immersion (le Québec français dans un continent anglo-saxon) qui, malgré une réactivité très forte, va influer sur une partie du vécu. Nous mentionnons le fait de la répétition, comme la simple réalité de la langue qui, constamment utilisée, incruste entre autres l'appartenance et la mythique dans ce collectif déterminé. Dans le même sens, le renforcement positif ou négatif des divers conditionnements situe une forme donnée de comportements ou de réalisations. Ainsi, si l'acquisition de biens est un renforçateur du statut social; la consommation peut devenir un facteur de déséquilibre et, en fait, un maintien de la classe inférieure. Ainsi au Québec on conserve le statu-quo du décalage initial des classes socio-économiques: de fait, les Québécois sont les plus endettés au Canada.

Enfin, nous voulons insérer ici un mécanisme qui joue à de multiples niveaux et dont la propriété est d'enferrer l'individu ou le social dans un pattern déterminé, que ce soit au sens de la stabilisation ou de la situation au sein d'un mouvement sur lequel il ne peut avoir de préhension : nous voulons parler du fait de la double contrainte. Le soi est un lieu privilégié de cette forme d'action en tant qu'existentiel nécessitant l'annulation de la distance pour incruster une forme d'être et et, par la suite, permettre paradoxalement à cette dernière un aménagement et un contrôle plus efficace sur les mises à distance. La double contrainte, comme outil d'enracinement du soi, n'est ni un positif ni un négatif, il est simplement au service de la continuité et de la stabilisation du pattern ou de l'agir pour lequel on l'utilise. Dans le sens général du mouvement qui respecte la dialectique vitale, on le considérera comme positif (peut-être est-ce un parti pris), et, dans les autres utilisations, il aura des effets destructeurs.

Mentionnons, pour le Québec, la nécessité de la défaite de 1760 pour entériner le mouvement d'un renouveau collectif, ce qui illustre la paradoxe de la mort qui permet la vie. Par ailleurs, la domination anglaise permettra l'élaboration d'un soi mais en une forme larvée où l'accès à la pleine identité du moi sera toujours court-circuité. On lui permet d'être au monde mais non d'être en relation sinon sous le contrôle de l'Autre, donc de n'être accessible à la différenciation que dans de strictes modalités au profit d'une homéostasie du pouvoir en place.

B- Imprégnation existentielle de divergence

Il s'agit ici des différentes formes d'imprégnation en ce qu'elles favorisent un impact sur la réalité, soit en fait, des processus de structuration cognitive qui vont réinsérer la distance et permettre un pouvoir ou un contrôle sur son aménagement. Nous situerons une telle relation au réel à partir de l'analyse de trois séries de facteurs : la situation démographique, la gestion économique et politique, la cohérence culturelle.

Nous avons déjà, dans un chapitre antérieur, parlé des travaux de Durkeim sur l'influence du facteur «densité de la population» et; pour nous, ce fait aurait favorisé l'émergence cognitive. Au Québec, après la conquête et ce, pour longtemps, la population a été éparpillée sur un énorme territoire et, en parallèle, le développement cognitif lui a été peu accessible comme entité globale. Ce n'est que dans les dernières décades et par le fait d'une concentration démographique plus marquée dans les villes que le système d'éducation s'est développé pour tous les Québécois.

En ce qui regarde la gestion économique et politique, nous parlons en fait de la gestion collective qui a pour but la réalisation du consensus. Nous avons déjà mentionné (sociologie affective) que toute gestion s'instituait pour réaliser le consensus mais que le manque inhérent aux limites aménageait la différence et l'individuation, processus qui, à la longue, amenait la dégénérescence du collectif à la formation de nouveaux groupements. Au Québec, cette gestion n'a jamais été entérinée comme véhicule du consensus. Ce qui a eu comme conséquence de conserver les forces d'enracinement sans vraiment permettre la maturation évolutive individuée. Mentionnons, à l'encontre, les illusoires autonomistes (tel Duplessis) qui ont pu avoir des effets démobilisants sur le consensus car ayant peu de prise sur le réel. Par contre, citons les interventions récentes de l'État qui, en ce sens, commence à gruger une place pour les Québécois dans la pertinence d'une réalisation qu'ils pourraient voir effective pour eux-mêmes et leur propre différentiation. Citons les difficultés économiques qui ont favorisé la prise du pouvoir par le Parti Québécois et son devenir davantage lié au consensus qu'à la gestion.

La cohérence culturelle est en fait le pouvoir que se donne un peuple sur lui-même et sa situation d'être au monde en relation à son environnement. Elle contient les reliquats des sociétés anciennes (l'occident s'aménage sur l'empire romain). On retrouve les traces au niveau de la race, de la langue et, de fait, de la structure symbolique qui va présider à la naissance et à l'élaboration des mythes. C'est ainsi que l'évolution cognitive se poursuit d'une civilisation à l'autre sans pour cela contrecarrer le processus de revitalisation de la fusion-individuation. Cet héritage va se moduler aux nouvelles imprégnations. L'acquis cognitif déjà enregistré rend possible les processus d'adaptation et, de la sorte, permet un certain feed-back des forces du moi sur la structuration à mettre en place pour les générations qui suivent. Notons ici le mythe de «La Corriveau» ou de la femme qui tue ses maris, dont le châtiment est particulièrement horrible mais qui revient hanter la population. Nous ne détaillerons pas cette légende sauf pour illustrer le sort épouvantable réservé au dominé qui se révolte (pattern de pouvoir homme-femme du cognitif affectif français) et la pression conséquente culturelle vers un repli de passivité. Mentionnons pour dernières années une réinterprétation du mythe chez les chansonniers québécois et une ouverture culturelle conséquente à l'affirmation de ce consensus.

Les mécanismes favorables à la différentiation sont en fait ceux qui sont issus des structures cognitives elles-mêmes et qui incarnent et favorisent le développement positif de la phase individuée. Ils comportent tous comme gains secondaires la précision et la netteté de la communication de même que la sensation élative remise au service de l'individuation. À ce niveau, nous avons d'abord l'importante stimulation du cognitif qui est réalisée par l'intensification du flux des communications et des interactions quand l'entre-jeu se fait entre entités unifiées. L'entre-choc des concepts et des différences stimulent l'identité à se donner une délimitation ou un sens, donc une valorisation d'être. Le sous-développement cognitif québécois favorisait peu une telle valorisation même si le besoin en était présent et ceci est bien illustré par la compensation à se définir à travers l'image d'un héros sportif (Maurice Richard) dans la même mesure du vécu d'appauvrissement à l'affirmation.

Un second processus concomittant au cognitif, c'est la cérébralisation individuée de fait et le constat de cette unité dans un vécu de différence aux autres à l'aide d'une réinterprétation symbolique qui donne un sens à chaque entité (cohérence post-factuelle). Il s'agit de l'insertion du décalage entre l'intérieur et l'extérieur, de l'utilisation du processus de différence comme renforçateur systématique de l'intériorisation. Ce processus allié aux conditions associatives de l'imaginaire recule les limites du cognitif, récupère l'élation fusionnelle au service de la toute puissance individuée, favorise la survie de l'ensemble par la facilitation adaptative de chaque entité. Par contre, court-circuitée dans son développement, elle est facilement manipulée dans son échec pour lui faire assumer les insuffisances ou les oppressions de l'Autre en fonction du mythe même de l'individuation et de l'autosuffisance. Nous voulons évidemment parler ici de la culpabilisation. Quand un phénomène d'intériorisation est présent mais peu susceptible de développement cognitif, vu les carences du milieu à cet égard, la manipulation de la culpabilité devient l'arme du pouvoir. On connaît bien l'adage «On est né pour un petit pain». En ces situations, la hiérarchie du contrôle devient plus rigide, le droit à l'affirmation est considéré comme une menée subversive. «L'indépendance du Québec devient le jeu des gens de la gauche, et à tout prendre, correspond à une régression tribale (négation préjugée de toute évolution)».

Dans le même sens, le développement cognitif amorcé mais insuffisant laisse prise à la manipulation de plusieurs autres mécanismes. Notons les polarisations et extrémisations favorisées par l'ordre perceptif (voir école de la Gestalt). C'est le fonctionnement privilégié d'une structure sociale qui n'a pas le contrôle du cognitif. La mobilisation est sur le coup en réaction et vulnérable aux stimulations véhiculées. L'incertitude et l'ambivalence d'une population la laisse à la merci d'une polarisation car elle fera appel à chaque alternative à tour de rôle. On peut voir au Québec un tel jeu dans une balance continuelle des choix entre le gouvernement provincial et celui fédéral. Un tel style de pondération peut correspondre en fait à un déficit des capacités d'intégration cognitive de la structure sociale et révéler une sidération de ses capacités d'affirmation. Un tel ballotement s'inscrit à la longue dans la confusion car ce qui est court-circuité pour s'inscrire en différence détruit toutes les cohérences qui cherchent à s'y établir et le non-sens résultant sert l'asservissement dans lequel il est maintenu.

C- Mobilisation et mouvement

Nous avons présenté l'élaboration d'un soi québécois, d'une consistance aménagée dans un contexte de double contrainte où le mouvement final d'identité est enrayé dans son affirmation. Depuis quelques décades, les imprégnations liées à l'environnement ont été modifiées vers une ouverture à la stimulation du cognitif : industrialisation, urbanisation, développement de la circulation des informations, scolarisation massive, démobilisation religieuse.

Ces différents stimulus étaient nécessaires au développement des structures socio-économiques en place, à la rentabilisation du capital et, par voie de conséquence, à l'alimentation de la classe dominante. Au même moment, l'accès du Québec au cognitif avait comme effet paradoxal de relancer la possibilité de l'expression de son consensus à travers une gestion qui lui serait propre. Les avatars du soi déjà aménagés sont la pierre d'achoppement de ce processus de réalisation. Ce soi qui nous avait permis de survivre risque d'être celui qui nous empêche de vivre (au sens individué de notre collectif). L'intervention se situe au niveau structurel des premières imprégnations pour que les générations à venir ne soient plus court-circuitées dans leur mouvement.

Nous avons déjà mentionné les difficultés importantes à agir sur notre propre soi, lieu de notre consistance. L'action sur les structures est en fait celle qui peut rejoindre une transformation mais au niveau de notre continuité, elle est celle à venir. Si on se reporte à l'historicité du nationalisme québécois, on peut retrouver les étapes d'un tel mouvement. Après la conquête, c'est d'abord le deuil et le repli sur soi avec, progressivement, le renforcement numérique et l'élaboration d'un groupe d'appartenance. On le retrouve au niveau sociopolitique par la division et la référence en Haut et Bas Canada. La seconde étape va de la confédération aux années 40 où l'entité francophone passe à un stade de pseudo-contractant (minoritaire et non égalitaire) et, en fait, à une nouvelle identification, celle d'un collectif qui se délimite, celui du Québec. Depuis 40 ans, la notion d'autonomie se développe : d'abord au sein du pacte confédératif puis avec la révolution tranquille, le F.L.Q. et la mobilisation du Parti Québécois vers la souveraineté.

Depuis deux générations, les changements ont peu à peu entamé une mobilisation au sein de l'«être au monde» du collectif Québécois, une transformation qui veut pousser son épanouissement vers un «être en relation». Les reliquats de notre asservissement antérieur continuent à marquer notre possible. Nous les retrouverons de façon subtile autant chez les fervents souverainistes que dans la majorité silencieuse qui se cherche une autre double contrainte structurante. A-t-on le choix, dans le mouvement actuel de notre civilisation et dans l'amplification cognitive dont nous sommes le lieu, de ne pas entrer dans ce cycle vital de notre actualisation ? À moins de renoncer à être au monde, la prise de conscience ne nécessite-t-elle pas toujours l'élaboration d'une cohérence, l'établissement de notre identité ?

Si le collectif québécois ne pouvait s'extirper de son asservissement à l'espace polarisé qui le contingente (provincial-fédéral), son identité ne pourrait poursuivre sa quête que dans un décalage de niveau d'appartenance. On peut penser par exemple au médium religieux québécois ou irlandais du siècle dernier de la même façon qu'à un mouvement dit humaniste comme l'égalité des personnes (femmes, races,...) ou l'écologie de survivance (pollution, guerre nucléaire,...). Ces deux dernières collectivisations ont peu d'adhérences dans le temps et ne sont que l'expression fusionnelle apparente du médium individualisé, donc de soi anarchique. À l'extrême, on retrouvera une équivalence du concept de «liberté totale» des «naguals» tel que décrit par Castaneda dans ses écrits sur les derniers «voyants» de la société Toltèque.

Le Québec

Synopsis

Identité (aménagement soi-moi)

A- La gestation du collectif québécois
B- Vécu d'étant (être au monde) - consistance de base d'adhérence à un étant

Imprégnation convergente existentielle

1) Ce qui annule la distance (favorise amalgame-imprégnation)
  a. continuité (annulation du temps)
  b. contiguïté (annulation de l'espace)
  c. les schèmes structurels de l'annulation de la relation
    1. l'attachement et la survie
    2. les conservations ou récupérations élatives
    3. la mentalisation de la similarité

2) Mécanismes
  a. répétition
  b. immersion
  c. conditionnement
  d. double contrainte

C- Vécu de différentiation (être en relation) - élaboration d'une cohérence en rapport à

Imprégnation existentielle de divergence

1) Ce qui aménage la distance
  a. la situation démographique
  b. la gestion (politique et économique)
  c. la cohérence culturelle
    1. l'héritage, la race et la langue
    2. le symbolique et le mythe
    3. le feed-back sur le soi-moi

2) Mécanismes
  a. stimulation (flux des communications et inter-actions)
  b. intérieur / extérieur, culpabilisation
  c. polarisation / extrémisation liées à la perception
  d. l'intrégration cognitive vs confusion, pondération, sidération

D- Mobilisation et mouvement

E- L'état actuel

La Gestalt Collective

Nous entendons par Gestalt la forme expressive d'un consensus qui tend à réaliser un mouvement naturel à l'écosystème humain. L'exemple qui suit illustre la mobilisation sociale nécessitée pour actualiser un cycle reproductif.

Il s'agit de 3 amis qui désespèrent de ce fait, l'un à cause d'une instabilité très grande, l'autre à cause d'un attente infructueuse après six ans de mariage. Le dernier vient de passer tous les tests sophistiqués possibles pour s'entendre dire qu'il est stérile. Les couples s'aménageront une intensification sociale à travers un réseau où cet accès leur deviendra possible.

1- Les enfants du paradoxe

De tout temps, un des mouvements majeurs de l'humain a été celui de sa reproduction. Ce qui le caractérise, c'est d'ailleurs la sujétion de sa progéniture durant de longues années. L'aménagement culturel a entre autre comme fonction d'en qualifier le 'pattern'. Au Québec, depuis de longues générations, ce soin de la 'couvée' (comme pour beaucoup d'autres populations) est inscrit dans la cellule familiale très stable où le rôle des femmes s'y développe à cet égard de façon importante. Certains en ce sens ont parlé de matriarcat. La présence de l'homme se situe en alternative dans un rôle de distance, pas toujours assumé de façon structurelle au plan de l'intériorisation.

Ces dernières années, les remises en question ont menacé l'unité familiale. L'intensification de la communication a drainé des mouvements d'affirmation individuelle, des contestations de rôle dont l'émancipation féminine n'en est qu'un exemple. Certaines valeurs ont été sabordées. La crise de désaffectation religieuse a bien marqué ce fait. Nous décrirons ici un réseau dont la trajectoire actuelle a été celle d'actualiser la reproduction et qui se confronte maintenant aux soins de la 'couvée'. La valeur est individuante.

Il s'agit ici de six couples. En généralisant, nous pourrions dire qu'ils et elles ont de 28 à 30 ans. Les filles ont suivi des cours universitaires. Elles se sont trouvé d'excellentes positions après avoir voyagé et eu quelques aventures avec des amis de rencontre. Les garçons ont moins d'études et plus d'instabilité. De même façon, ils ont eu quelques aventures avec des filles et l'amitié entre garçons s'est développée suite à des rencontres politiques ou syndicales. Du côté des filles, le lien est issu davantage de leur profession.

Nous les qualifierons selon des normes de stabilité et de fidélité, la pluralité des noms rendant difficile une compréhension d'un collectif important.

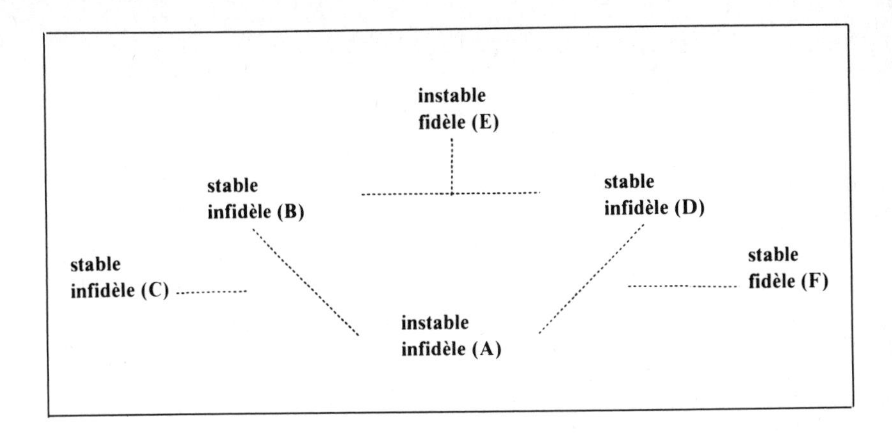

Ce qui situe tous les couples à partir de ces normes, c'est qu'elles caractérisent chacun des hommes car ces qualificatifs, pour la très grande majorité les femmes, sont identiques à savoir la stabilité et la fidélité. Au départ, les couples D et F ont chacun deux enfants en bas âge. Le premier, deux filles. Le second, deux garçons. Le couple E n'en aura pas, du moins jusqu'à présent. Les couples A.B.C. auront chacun un enfant en plus ou moins un an et le rapprochement le plus prononcé se fera A.B.C.D.

Chronologiquement, les couples A.C.D.F. se louent un chalet ensemble. Ce temps correspond à la 2ième grossesse et à la naissance d'un garçon chez F. Le couple D fait partie du réseau et même s'il n'est pas locataire, il vient fréquemment et participe activement. La première gestation apparaît à mi-chemin de l'expérience. La seconde, tout de suite après. La dernière, quelques mois plus tard. La fin de la location du chalet correspond à une mise à distance du couple F qui est remplacé dans le réseau par le couple D (deux enfants filles). Hasard ou destinée, les trois enfants des couples A.B.C. seront des garçons.

Ce qui situe peut-être un peu plus ces couples, c'est l'appréhension de ne pouvoir avoir des enfants. Chez A, l'instabilité est vécue depuis longtemps et c'est un 'accident' au moment d'une séparation possible qui permettra la première venue au monde. Chez C, après de multiples examens, on est convaicu de stérilité et c'est suite à ce diagnostic qu'il y aura une seconde naissance dans le groupe. Chez G, on est marié depuis longtemps et, même si les examens semblent normaux, on a perdu espoir. Il y a même une séparation possible dans les propos. Ce sera le dernier enfant du réseau.

L'infécondité réelle ou appréhendée n'a pas résisté à la gestalt collective, aux 'patterns' réalisés aux fins d'une trajectoire partagée en commun comme finalité inhérente au sens de leur réalisation. Les pulsations intimes se sont vitalisées de l'énergie collective pour contrer ce que la culture, la biologie ou la psychologie leur interdisaient : soit l'actualisation de leur vitalité malgré le réel.

Compte-tenu du vécu passé et du discours très marqué sur l'émancipation féminine, il est, à première vue, surprenant de voir les femmes du groupe s'en tenir au rôle traditionnel en regard des normes de stabilité et de fidélité. S'agit-il d'une identification positive à la mère telle que déjà typée dans les générations passées? Est-ce que les polarisations ainsi aménagées au sein des couples permettent, à travers les rôles, de rester plus en contact avec le réel tout en maintenant un mouvement au sein de chaque couple d'éloignement-rapprochement?

L'adaptation à une réalité urbaine et industrielle qui a favorisé l'individuation, a permis à la femme une autonomie possible où la 'couvée' devient moins strictement dépendante du couple comme entité de pérennité. Les nouvelles valeurs même si elles sont actualisées dans le discours et le vécu passe semblent dans les faits se résorber chez la femme lors du temps de la reproduction. En sera-t-il de même par la suite? La facilité de la séparation devrait, comme agir, susciter de nouveaux patterns. Ceux-ci respecteront quand même des mouvements naturels ou culturels de plus grande ampleur. Ils situeront simplement certains aménagements.

L'infidélité et le fait d'avoir des enfants sont, caractéristiques chez les hommes du réseau actuel A.B.C.D. Chez A, l'instabilité est la forme utilisée pour éclore l'infidélité (séparation, 2ième appartement...). Au niveau de B, on se replie sur le secret en maintenant les apparences. Chez C.D., on a recours à des médiums tels l'alcoolisme et la dépression pour couvrir les incartades ou du moins les excuser. Si une pulsation en regard de la distance est nécessaire entre deux êtres, il faudrait comprendre ce phénomène comme social.

Face à certaines difficultés ou maladies, ou se rend de plus en plus compte de l'importance du milieu ou de la culture dans la facilitation de leurs apparitions. Mentionnons l'alcoolisme, les toxicomanies, la délinquance,... L'aménagement des schèmes culturels piège dans certains rôles ou polarisations une façon de se confronter à l'un ou l'autre des dilemmes de la relation au réel. Trois enfants sont nés, issus d'une pulsation à l'encontre des paradoxes.

2- La sélection naturelle et la pression sociale

L'évolution des espèces s'est inscrite très progressivement à partir d'une multitude de caractères géniques, mutants ou non, qu'une pression sélective a permis de faire apparaître. Le cloisonnement plus ou moins hermétique des milieux naturels intensifiait cette pression à travers la prolifération vitale qui saturait l'équilibre écologique.

L'actualisation de formes affectives a intégré à certaines espèces cette pression sélective auparavant totalement dépendante du milieu. Le rapprochement existentiel induit par l'"étant' affectif a recréé un milieu au sein de l'espèce en lequel une pression convergente était pour s'exercer de plus en plus. Le processus a d'abord favorisé l'émergence cognitive. En cas de limitation de ce facteur adaptatif, on pourrait se demander si d'autres issues ne pourraient pas éclore chez la même espèce, telle la néoténie alpha (mutation évolutive caractérisée par le développement du système nerveux et qui toucherait les ondes alpha cérébrales alors qu'actuellement la capacité cognitive fait appel aux autres ondes cérébrales, telles bêta, gamma ... !).

Le rapprochement lié aux processus affectifs a facilité une certaine survie mais, chez les primates, il a permis l'éclosion de plus en plus massive des capacités de communication. Le langage affectif s'est d'abord lié au gestuel, à l'organisation de 'patterns' collectifs favorisant la survie et la couvée. L'allongement progressif de cette dernière a aménagé un espace potentiel d'apprentissage où la communication renforcée par cette proximité intensifiante donna accès au langage conceptuel.

Ce développement des structures cognitives a permis comme jamais auparavant une adaptation de survie. Cet effet 'spécifiant' (spécialisation chez une espèce qui permet une adéquation au milieu) a comme résultante un œcuménisme de l'humanité, une homogénéisation éventuelle de la race. La capacité générative (aménagment d'une autre espèce) en est d'autant diminuée mais des issues alternatives au sein de la même espèce sont devenues possibles par la plasticité de la dimension affective qui réintègre dans le psychosocial l'hétérogénéité diversifiante antérieurement liée à la stricte mutation génique (ou à sa révélation par les processus de pression sélective).

La pression sociale mobilise, de par l'affectif, des quanta énergétiques qui, chaque jour, permettent l'actualisation de la mobilisation humaine (ex : Les enfants du paradoxe ou, dans le texte sur les interventions de réseaux, la facilitation affective diffusante) mais qui pourrait aussi faciliter de par son potentiel générateur ces issues alternatives. Ceci serait lié au fait qu'une pression sélective de plus en plus forte s'exerce au sein même de l'espèce humaine (intensification démographique liée à l'industrialisation, l'urbanisation et très bientôt à la stricte surpopulation).

3- Le dynamisme structurel et la texture sociale I

Plus la connaissance donne accès à des données, plus des vecteurs différents apparaissent avec la composition d'une perception qui semblait simple. Avec le temps, l'humanité a accumulé les niveaux de compréhension et ainsi réalisé l'inhérence multifactorielle de toute organisation matérielle ou vivante. Dans son processus d'adaptation l'organisme humain ne pouvait d'emblée assumer la totalité des faits cognitifs. Il devenait donc nécessaire que sa nature soit en ce sens souple et 'plastique' tout en permettant le développement sinon l'accroissement des acquisitions. La mémoire individuelle et l'institution culturelle seront les deux principales structures qui les faciliteront.

Ce qui les caractérise, c'est leur 'mécanique' sélective qui leur fera retenir certaines données susceptibles d'intégration sur le champ. Ce qui est reçu pour demeurer, doit s'insérer en charnière sur l'existant déjà en place. La mémoire est saturée par les limites de son connu. Sa progression doit intégrer un sens sinon le phénomène relèvera de l'imaginaire ou du magique ou d'un strict déchet non utilisé, voire souvent non retenu. L'éducation offre ce même parallèle au sein d'une intégration collective. La progression exponentielle des connaissances théoriques durant ce dernier siècle a forcé l'étirement d'une adolescence un peu en déséquilibre, au vécu moins actif, moins appliqué.

Les limites des sens perceptifs ont permis d'éviter les effets d'une surstimulation (en paralllèle à la non-inscription amnésique) mais une autre structure, l'habituation, a permis l'adaptation a ce milieu plus accéléré. L'habituation est un phénomène par lequel l'esprit humain cesse d'être accaparé par une stimulation pour devenir accessible à d'autres. La stimulation fait partie d'un 'bruit' qui devient coutumier à l'attention et c'est, au contraire, son absence qui éveillera cette dernière. Le phénomène de l'attention acquiert ainsi cette propriété sélective, cette plasticité qui l'empêchera d'être accaparé de façon rigide tout en intégrant les multiples stimulations ou milieu. Le 'bruit' urbain est différent de celui de la campagne rural. La culture développera l'institution des communications pour contrer les distances, amenuiser les décalages et ainsi à la limite uniformiser ce 'bruit'.

Les rapports entre humains s'intensifient et le milieu adapté, c'est celui qui est habitué à l'échange, à un rythme d'intégration accéléré. L'audio-visuel illustre la même passivité nécessitée que celle déjà citée pour l'adolescence prolongée. Les médiums culturels réaménagent l'activité humaine pour qu'elle compose avec une collectivisation de plus en plus forte. Les temps accordés à l'attention et à la mémoire correspondent à la baisse d'activité actuelle mais aussi tiennent lieu de survie en regard d'un milieu surstimulé où les distances s'amenuisent. La concentration collective produit des interactions excessives qui forcent à les situer au niveau d'un 'bruit' et non d'échanges continuellement présents à un éveil activé.

Mémoire et éducation conservent une partie des acquis. Attention et communications situent le taux de réception des stimuli inhérents à l'adaptation au milieu ambiant. Elles structurent un certain 'pattern' de l'activité humaine où habituation et temps de passivité orchestrent le 'bruit' propre à l'amplification à la fois cognitive et collective. La capacité sélective reste à la frange de ce 'bruit' et s'aménage à travers la modulation des temps actifs.

L'institution culturelle enregistre la forme de vie modelée d'un collectif. Elle retient l'acquis cognitif mais aussi les types de modulation privilégiés d'un groupe humain à travers les dimensions de son réel. L'espace est lieu d'un mouvement qui repose sur le continuum de la distance. Ses oscillations respectent cette trajectoire alternative déjà décrite dans la dynamique fusion-individuation. On chemine du groupe à l'individu, de l'isolement à la relation. La famille est le plan scénique où se joue la plus grande partie des 'patterns' en regard du corps, soit la sexualité et la 'gestuelle' d'attachement.

La cohabitation assez systématique des partenaires sexuels dans notre culture force la pulsation en regard de l'intimité à centrer sa variance dans l'imaginaire et les réflexes physiologiques. Cette concentration sur le couple donne de l'ampleur aux jeux issus de ce type de relation à l'autre, dont la répétition systématique favorise la généralisation. L'agir d'éloignement trouvera son contrepoids dans la division du travail, les us et coutumes reliés à la différence des sexes (de la taverne aux dames patronnesses). L'utilisation de rôles facilitera les décalages et situera l'aménagement de la distance. La 'centration' sexuelle prédétermina la teinte névrotique des jeux redupliqués et réaménagés peu à peu au sein de collectifs différents.

De même façon, la 'gestuelle' d'attachement au sein de la famille est teintée des 'patterns' issus du couple. Il se fait un certain 'modeling' des interactions et plus profondément de l'exercice des tensions et de leur soulagement. Nous y retrouvons la même concentration des conduites d'attachement sur un petit nombre. L'effet conséquent sera d'amplifier l'importance de quelques êtres en terme de résonance, dont l'incrustation favorisera le phénomène de l'appropriation. L'adhérence trouve sa raison d'être dans la dimension temporelle. La continuité s'incarne dans l'immédiat au sein de la possession. La perte illustre le vide, le sens désincarné quand il ouvre sur l'absence.

4- Le temps et l'appartenance sociale

Le temps est lieu d'un mouvement qui repose sur le continuum de la vie (plus généralement de la transformation). Ses oscillations accomplissent les cycles rythmiques déjà décrits de la fusion-individuation. Elles situent la pulsation d'adhérence propre au social. Le sens, pour s'y étayer, doit en suivre la trajectoire. Le quotidien ramène les limites et l'individuation. Une culture se développe sur une 'élation' religieuse qui, de même façon, sera l'équivalent réflexe, routinier de la fusion. La religion permet à un collectif une pérennité plus ou moins grande de l'attachement de survie. La cohésion sociale liée à la asurvie (soit en regard de l'isolement total qui dénature, soit en relation avec une menace extérieure qui détruirait) trouve une structure de regroupement à travers une foi commune qui lui donne une continuité et par là une consistance dans le temps.

La baisse du sentiment religieux verra s'intensifier le rythme des regroupements collectifs et de leur désagrégation. Cette accélération jouera comme mécanisme d'accommodation soit en mobilisant une nouvelle foi élative (tel le patriotisme ou une forte appartenance) qui resitue et intègre la mort dans son mouvement, soit par des essais répétés collectifs (des mobilisations revendicatrices aux thérapies de croissance) qui aménagent la pulsation vitale de l'un à l'autre et permettent peu à peu un conditionnement à un vécu 'here and now' stimulant. L'attention est, dans ce dernier cas, maintenue dans un focus rapproché qui forclot le temps. La position du Moi est hypertrophiée par les satisfactions immédiates qui renforcent de façon systématique la cohérence élaborée.

Le temps véhicule la perte et la mort si la mobilisation n'est pas drainée à travers une diffusion humaine. Le processus d'appropriation qui s'exerce en catharsis sur des êtres et des biens comme sur soi-même constitue le moment individué d'un collectif qui se morcelle avant de se générer. Isolé au sein de sa mouvance, il fige un champ polarisé mort-vie extrémisé, un paradoxe récupéré par une mentalisation symbolique mais, en fait, réduit au jeu imaginaire de la castration pour qu'une mobilisation se récrée au sens de l'identité.

L'appartenance sociale correspond au moment collectif de ce phénomène d'appropriation qui, de la sorte, intègre la dimension temporelle au sens d'être. Le besoin d'appartenance est l'équivalent de celui de propriété. Ils s'établissent pour contrer le 'senti' perceptif immédiat de la perte et permettre ainsi le vécu transformé au sein d'une mouvance inéluctable. L'appropriation est, de façon existentielle, diffusible. C'est un espace qui s'établit entre deux termes. On est toujours possédé par ce que l'on possède. Son 'étant' prend racine dans le social. C'est le vecteur adapté à la dimension temporelle. Il constitue la double contrainte structurante d'une dynamique mort-vie.

5- *Les jeux du réel*

Délire. Jeu d'enfant, jeu d'un monde. On va chercher un souffle. Il nous respire de son tourbillon. On vrille éperdu. Les soleils se multiplient. Le vide se cale derrière nous. Aspiré en tous sens, désarticulé en cet éclatement, notre haleine repousse de contresens les vaines parcelles de sa cohésion.

Dieu se cherche. Il se suicide pour bien se percevoir. N'est-il pas dieu? On ne palpe bien que ce que l'on sent. On ne ressent bien que ce que l'on souffre. Son contact, sa mesure, c'est cette douleur qui l'habite, ces larmes qui lui permettent la conscience. Triste destinée que celle de l'accouchement d'un dieu!

Midi. Il fait chaud. Les restes vont pourrir. Il n'y a que la chair pour bien se crisper à cet évidement. Vietnam, Biafra, Pakistan, autant d'immondices qu'un éveil ébroue... «Néant. Que vaut d'exister dans cet informe!» La gestation reprend. Il fait humide, pesant. La mort fourmille la vie.

Babillages, cette société qui se croit. Inconscience, ces gens qui châtient pour conserver leurs jeux. Cruauté inutile que de s'accorder un sens dans les ébats de ce désir collectif. On poinçonne déjà trop. On s'accroche aux horaires. Incantation magique d'une annulation sans cesse reprise. On refuse en 'symbolique' ce que l'angoisse nous fait marteler chaque jour.

La vie est le jouet du temps. Il faut que le hochet cesse de bruire pour que puisse renaître sa crépitation. Plaisir, fantasme morbide où l'homme oublie sa nature d'objet, où il se crée libre dans l'enchaînement de rituels à répéter pour y croire. Le temps et l'espace, deux marionnettes pour fasciner de réel ce délire qu'ensemble nous voulons vivre, cette enfance qui nous reste dans ce jeu de la maturité.

La mort s'est introduite au Québec. On avait appris à vivre avec elle. Elle nous a explosé dans les mains. Des années de Pouvoir ont tissé un entrelacs de confusion où notre lieu d'être se diminuait du sens des Autres. La mort est notre violence de vie. L'angoisse qui en est issue module les identités dont on se pare, structure les 'illusoires' nécessaires aux aliénations auxquelles nos limites nous font adhérer.

Nous avons vécu les années 60. Notre choix allait dans le sens d'une libération. Elle s'incarnait dans le tryptique d'un mouvement. La mort et la vie sont les volets d'un sens qui, pour se véhiculer, prend le lacis des dimensions qui en expriment la continuité. La radio et la télévision ont éveillé des univers, trop souvent estampes sur nos rêves endormis. Nous nous sommes bouleversés de notre apathie en joignant l'acquis d'être à un mouvement quelconque à même de se vivre.

Les idéaux étaient bien fragiles qui, sous l'étendard d'une foi religieuse, nous faisaient assumer nos 'petitesses' et celles des dominants, la culpabilité bien remâchée des unes gobant de moins en moins l'inhérence des autres. L'ouverture de plus en plus accessible aux informations désaliénait un vécu dont le leurre était de n'être point pauvre et le luxe, de s'en croire plus civilisés, notre richesse morale étant juste ce qu'il fallait pour permettre des dividendes aux profits des autres.

La mort n'a point d'assises morales. Elle est la loi de la vie. Le discours qui l'entretient est à double sens. Les règles qui l'imposent sont le cadre fallacieux de ce fait interprété aux besoins du pouvoir environnant. On ne vit plus avec la mort. On l'a installée dans un corbillard. On ne la rencontre presque plus. Elle ne nous rate pourtant pas. Le piège, c'est de l'effacer de nos informations. Son absence enracine dans la pauvreté les 'illusoires' mythiques dont on nous submerge pour notre propre bien!

Nous sommes partis tout un groupe dans des perspectives éventuelles de maquis. La première étape consistait d'abord en une période de survie en forêt. Elle en a été une de survie dans le système judiciaire. Nos besoins étaient d'aventures. L'odyssée de l'affirmation collective canalisait un même rêve. Nous avons côtoyé gardiens de prison, policiers, juges, prisonniers, vagabonds, avocats, jouant au ballon avec eux (prisonniers, vagabonds...), servant de confident aux autres (prisonniers, policiers...), percevant des cohérences que les statuts paradoxaux de chacun semblaient induire autrement.

Comme si les polarisations des extrêmes produisaient un sens qui pour se maintenir s'étayait d'une même conformité de caractère. Que ce soit chez l'avocat, le juge ou le criminel sérieux, il existe une certaine rigidité du cadre conceptuel, une lignée cognitive commune où l'exercice de la loi déteint dans sa fixité normative et dans sa tolérance vaseuse en coulisse. Nous pensions à l'époque que la tonalité dite caractérielle trouvait deux poids, deux mesures au fur et à mesure de l'élévation sociale du sujet. Depuis, cette opinion a trop souvent été confirmée pour ne pas penser, comme beaucoup d'autres, que tout système qui se maintient le fait à partir de la répression même que condamne ses propres idéaux.

Il nous a été donné à quelques reprises de vivre cette répression (sans valeur morale) et, à plusieurs occasions, de constater chez le censeur une culpabilité particulière pouvant aller jusqu'au juge qui vient nous serrer la main et s'excuser de nous avoir condamné, jusqu'à l'avocat général qui demande la prison à vie et, en parallèle, se développe une rechute alcoolique laquelle nécessite une longue cure de désintoxication. Comme si, chez ces mêmes personnes, il existait en même temps différentes étapes, différentes structures cognitives à travers lesquelles les expressions de vie se véhiculeraient.

Nous entendons par structure cognitive un ensemble de concepts ou de faits qui, de façon directe ou indirecte, ont pour but de développer ou développent effectivement un sens à partir d'une appréhension perceptive, induite ou intuitive de ce que l'on entend comme 'être au monde'. Les plus simples et les plus communes sont formées d'un couple antagoniste : bon et méchant, positif et négatif, dedans et dehors, etc... Le sens n'est pas dans le qualificatif, mais dans la 'nervure' oscillante, dans les polarisations qui donnent un champ d'analyse et d'élaboration, qui crée un espace virtuel où peut s'agglutiner un mouvement, une pulsation de vie.

Un extrême force l'autre de façon réciproque et l'équilibre dialectique aménage la 'nervure' ou le sens exigé comme délimitation ou situation d'être. Nos comprenons donc la 'nervure' comme le champ issu d'une dialectique, matériel prégnant au façonnement des identités. Cette ouverture virtuelle repose sur un paradoxe (création d'un espace par opposition des termes) et, en tant que telle, toute pulsation d'être en son sein s'y aménage en relativité. Le matériel de l'identité, c'est l'espace de sens que l'on peut induire de façon dynamique dans un circuit instable où la 'mouvance' oscillatoire peut être continuellement réinterprétée en termes de choix. Cette créativité crée l''illusoire' minimal d'échapper de façon suffisante aux prédéterminants pour asseoir une démarche individuée.

La 'nervure' de la Justice, c'est la violence. Chacun développe la sienne. C'est toujours pour l'imposer. Les diverses justices sont les cohérences qui encadrent les entrechocs des 'moi' et des 'Autres'. Juges et criminels sont les pôles pratiques de cette dialectique. À un autre niveau, politiciens et révolutionnaires déblaient un même jeu. Par les paradoxes qu'ils maintiennent, ils incarnent la 'mouvance' d'un même pouvoir, lieu de décalque d'identité où le mirage de chacun (autre) induit l'autre (moi).

Suite à ce vécu, j'ai eu l'occasion d'exercer différents métiers et d'y rencontrer de façon prolongée différents types de travailleurs : journaliers, cuisiniers, camionneurs, professeurs, infirmières, médecins, etc... On remarque chez tous ces gens des constellations d'êtres et d'agirs qui particularisent certains niveaux et en même temps d'autres lignes qui les assemblent différemment. Ayant frayé entre autres avec les psychiatres, il est étonnant de voir avec quel naturel et raffinement nous utilisons la culpabilité pour établir notre lieu de pouvoir, ce dernier pris dans le sens général de l'aménagement de la réalité. Par ailleurs, l'utilisation et, peut-être, l'"insight' de cette cohérence au jour le jour développe la capacité à nuancer et imprègnent peu à peu de façon réflexe ce passage de la science à l'art et finalement à la vie.

Le développement même de cette profession (ou profession similaire) laisse penser à l'importance croissante de cette lignée cognitive (sinon cristallisation) dans notre culture. La prédisposition naturelle aidant l'aliénation de cette voie de compréhension permet dans son versant positif de reconnaître toute une trame interactionnelle possible (donc de pouvoir à partir d'une cohérence individuée facilitée) et, dans sa facette, négative de court-circuiter le vécu diffusant qui donne au social sa réalité d'imprégnation existentielle. La compréhension de la culpabilité se réfère à l'intériorisation et à l'individuation de l'être comme entité responsable de son propre mouvement. Le développement d'une telle valeur a, comme paradoxe, l'intensification de la culpabilité au sein du collectif et l'appauvrissement de sa dynamique de réaménagement social.

La 'nervure' de violence enregistre différents patterns où justice et politique sont toujours vecteurs complémentaires. Leurs assises incarnent peu à peu des règles, instruments symboliques et de réalisation. Elles marquent les limites d'une démarche et enregistrent l'étalement d'un champ d'être où un mouvement 'progressif' d'expansion vitale peut se donner un sens. Le développement et l'utilisation des rituels rend compte de l'actualisation imprégnante d'une cohérence. Le système judiciaire en est pétri et la rigidité des rituels représente bien la fonction d'encadrement dont il fait partie. Cette violence est une césure sur ce qui s'inscrit en différence, impitoyable quand un processus de mobilisation y est sous-jacent.

Les mœurs électorales sont la contre-partie de sens du même système. L'idéologie maintient le mythe, son application étaye ses limites. Le rituel en politique, ici, est beaucoup plus dynamique, flou dans l'ouverture qu'il semble induire et pourtant toujours en 'concrétude' avec le système qu'il reduplique. Sa violence est perfide. Elle maintient une utopie et ravale l'échec, le manque à la carence individuelle, vrai au sens de la non adhérence conforme à la logique du pattern. La mystification de l'égalité est parallèle à celle de la liberté. On dénature par le mythe les rapports au réel. On procède par analogie de l'affectif au cognitif. On manipule le premier au profit du second. Égalité et liberté sont d'ordre affectif. On déphase une jonction sociale de transcendance émotive pour dissimuler les décalages inhérents à toute réalité.

L'homme judiciaire se double nécessairement d'un homme politique. Il doit pallier aux rituels insuffisants aux paradoxes où le mythe crée une distorsion au réel. Les règles du jeu sont unilatérales. Ils sont au service d'une cohérence, d'une dialectique où la violence est morale et juste en rapport avec ce qui est établi, puis justement violence et crime quand le geste et surtout sa mobilisation induit une différence ou met en lumière l'absurde des contradictions.

Et puis, si la mort n'était pas, où serait la vie?

6- Les champs polarisés et l'insertion sociale

Les polarisations sont comme les mots. Elles cherchent à cristalliser, à déterminer, à situer un étant. Chaque champ polarisé, dans son expression, le cerne à peu près, y laissant à la fois un manque et un plus. L'un et l'autre aménagent une réalité en distorsion qui, de par son existence, a prise sur les sujets en 'mouvance' et les révèle 'autre' : ce que la plasticité identificatoire ajuste en sens (cohérence induite par la réalité du vécu qui force et donne le sens).

L'indéterminé et le déterminé forment un champ polarisé dont la nervure en est la relativité. Cet espace virtuel crée l'alternative intrinsèque à la mobilisation humaine qui génère le sens d'une latitude à ce qu'il soit multiple. Le champ polarisé se vitalise d'une nervure d'unicité ou de consensus qui a fonction d'étalement existentiel, d'insertion ou d'incrustation dans un niveau de réel, de contrainte structurante à situer le vécu, c'est-à-dire à une emprise qui ne peut se vivre que comme une empreinte, un 'étant'.

Plus que les mots, les polarisations cernent une modalité du vécu comme existant. Ils déterminent une teinte, une qualité d'un espace qui incruste. La nervure, c'est une gestalt qui constitue la ou l'une des formes d'être privilégiées pour l'individu et / ou le collectif concernés. L'insertion sociale ou les aménagements relationnels constamment redupliqués rendent compte de ces empreintes.

Les champs polarisés sont les sites de notre accrochage au social. Ils délimitent les rôles privilégiés de notre trame de vie, les investissements professionnels, les attachements, l'élaboration des agirs quotidiens. Les gestalts qu'ils véhiculent sont les lieux de vie d'une 'mouvance' imprégnée. Du policier au criminel, du séducteur à l'envoûté, ces formes inscrivent un 'étant' d'adhérence, de modulation de vie.

Nous avons déjà situé l'étant de diffusion affective comme analogue au 0 (zéro) mathématique qui, par son existence, crée le cheminement des nombres mais ne s'en laisse pas pour cela appréhender par d'autres séquences cognitives pouvant éclore d'une compréhension différente. Les champs polarisés constituent des espaces de diffusion cognitive limitée et comme tels, servant de gestalts de réalisation partielle à cette diffusion affective vitale non résorbée de façon excessive à travers les deuils.

La propriété qui illustre le mieux ce fait à travers les polarisations, c'est leur réversibilité (active, virtuelle ou structurelle). Nous avons connu un couple dont la femme présentait une agitation et une logorrhée d'un degré nettement hypomaniaque. Son mari avait une attitude très flegmatique et nous lui avions fait part de notre inquiétude concernant la fragilité possible de sa femme. Quelques années plus tard (durant lesquelles la situation s'était maintenue), ce fut lui qui fit une décompensation maniaque lors d'un stress important. Quelques mois après, il passa une phase dépressive sérieuse avec alcoolisme et tentative suicidaire mineure. Au moment où il en sortit, sa femme décompensa sur un mode à la fois maniaque et légèrement paranoïde.

Qui ne connaît pas ces couples dépendants-agressifs chez qui, à tour de rôle, les malaises physiques servent de soupape à l'équilibration de leur système (maux de dos, asthénies, paralysies, migraines irréductibles,...). L'amélioration chez l'un précipite la détérioration chez l'autre. Nous avons connu trois soeurs qui, suite au décès de leur mère, se sont situées dans une gestalt parents-enfants, thérapeutes-malades. Elles ont présenté, l'un après l'autre, une décompensation de type dissociatif où les autres, à ces moments, s'en préoccupaient et la soignaient. Ils terminent actuellement leur deuxième cycle.

Les thérapeutes de couple y voient souvent des champs polarisés caractère-hystérique / caractère obsessionnel. Lors des séparations, on note, à la suite, une première liaison où chacun se trouve un partenaire dont le rôle polarisé permet d'inverser le premier champ vécu. Généralement, ceci ne dure pas et l'on retourne dans une seconde liaison plus durable au pattern déjà connu bien que, à ce moment-là, moins extrémisé. L'expérience ainsi vécue permet à chacun d'avoir accès aux ressources de l'autre rôle et leur utilisation occasionnelle dans les aménagements plus souples d'équilibre. Les thérapeutes qui connaissent bien ce phénomène essaient d'utiliser des jeux de rôle inversés pour faire vivre ce fait afin d'éviter, si c'est possible et désiré, cette mobilisation expérientelle parfois souffrante de la séparation.

On retrouve chez certains couples cette réversibilité actualisée de façon inverse à des niveaux différents. Nous avons eu en traitement un couple dont les polarisations oscillaient entre la sécurisation et la liberté (ou l'étouffement appréhendé). Au plan du travail, Jacqueline se préoccupait de la sécurité alors que Pierre se sentait étouffé par cette contrainte. Au plan des amitiés, Pierre se battait pour préserver la sécurité du couple, en éloignant les relations extérieures qu'il trouvait toujours menaçantes. Jacqueline tolérait mal cette possessivité et désirait des aménagements variés des relations sociales. Pierre se loua un appartement que, en fait, il habita peu. La polarisation s'inversa.

Un dernier phénomène qui nous semble être mis en évidence par cette réversiblité, c'est celui de l'incrustation du vécu ou de sa gestalt. L'alternance rapide d'un pôle à l'autre peut avoir un effet sidérant, celui d'une d'empreinte accentuée. On peut penser ici au sadomasochisme, au vécu des enfants d'alcoolique où l'on oscille entre la séduction et la crise, au pattern des enfants battus qui en arrivent à vivre leurs relations à travers une catharsis à leur encontre. On a déjà bien décrit les messages à double-contrainte des mères dites schizophrénogènes qui, par cette réversibilité totale et instantanée, sidèrent toute 'mouvance' personnelle chez l'enfant. Chacun a en lui ces instances surmoïques où le ciel et l'enfer ont façonné leur emprise.

7- Le dynamisme structurel et la texture sociale — II

Les théoriciens de la 'Forme' ont déjà élaboré sur les caractéristiques de la perception. Cette faculté participe à l'ensemble de l'organisation mentale et ce qu'elle extrait du réel est déjà prédéterminé par certains schèmes. C'est un processus actif qui, entre autre, tend à nous faire assimiler ou, à l'opposé, à mettre en contraste. Elle participe à la finalité cognitive de préciser ou déterminer, ce qui induit une propension privilégiée à former de bonnes gestalts, en fait à construire leurs présences.

Extrémisation et dramatisation sont des mouvements connus au besoin affectif ressenti comme situation d'être dans l'élaboration structurelle de l'identité. Les limites du champ perceptif telles qu'enregistrées par la mémoire force l'articulation de nouvelles formes à s'imprégner suivant la capacité sélective de l'attention, c'est-à-dire à partir d'une frange en charnière sur l'acquis, une certaine hiérarchie du sens de la progression en continuité.

Le vécu ressenti induit l'élaboration de sa cohérence. Le sens part de la forme du réel perçue où les décalages sont annihilés quand ils sont situés hors du champ actif des percepts organisateurs. La mise en contraste véhicule l'espace de réalité à intégrer dans sa 'mouvance'. La mise en contact, produit le sens humain. Mettre en présence des individus, c'est drainer l'articulation d'un consensus, d'une 'forme' organisatrice du collectif.

Le processus de familiarité force au départ une mythique ou une cohésion à travers laquelle, peu à peu, les aménagements polarisés créeront les rôles, la 'mouvance' et l'élaboration des identités. La gestalt du 'groupement humain' est celle d'une adhésion fusionnelle initiale de laquelle les cheminements individuels seront issus dans l'étalement de sa réalisation. L'institutionalisation, c'est une structure de regroupement dont les rôles sont déjà fixés en contrainte. Ils piègent ainsi la cohérence induite à l'auto-entretien ou perpétuation de la 'forme' désirée. D'où l'adage bien connu que la transformation de l'institution ne peut venir que de l'extérieur.

Le groupe spontané est un véhicule limité dans le temps il n'enracine pas ses acquis dans une structure institutionnelle. L'implosion des identités force la déstabilisation et, à moins d'une contrainte exercée par un réel externe, resitue la réalisation mythique à des niveaux autres. De fait, ces catharsis, si elles sont multiples peuvent être des acquis évolutifs d'homogénisation d'un collectif plus large et ainsi favoriser une étape ultérieure d'un tel consensus.

La fixation des rôles tend à former des champs polarisés où l'énergie se disperse entre les extrêmes et n'est le plus souvent rentabilisée qu'en fonction des identités. Elle stabilise la répartition du pouvoir dans l'adhérence des mobilisations individuelles au sein de certaines limites inhérentes qui deviennent ainsi statut social. Elle appauvrit la découverte de nouvelles gestalts plus matures mais facilite une confrontation de classe. La stabilisation des polarisations reste un prérequis structurant à toute mobilisation de pouvoir pour en contrer un autre en place qui maintient son aliénation.

8- Mobilisation et appétit social

L'ensemble de la réalité, à travers le corps, l'organisation mentale et l''étant' social, situe des vécus qui se développent en sens de par leur 'mouvance' au sein de certaines gestalts. L'agir et de fait la vie réalise ainsi leur circulation énergétique à travers des champs réduits (microcosme) dont la texture dimensionnelle est intrinsèquement sociale. L'exécution du passage à l'acte d'être humain s'inscrit dans une trame diffusible comme espace de réalisation.

Nous avons été confrontés à un certain moment à une série de clientes affectées de psychose dite post-partum. L'étude des systèmes familiaux a très rapidement mis en relief cette catharsis comme une reduplication aménagée d'une gestalt propre au mari : par exemple Pierre voit son enfant confié à une parente comme lui-même avait été élevé par d'autres à cause de la maladie de sa mère. Il existe comme un cheminement de double-contrainte au sein des couples où la femme sert à réaliser une gestalt propre au mari au sein d'un engramme où sa position complémentaire constitue pour elle une forme de survie regressive (en fonction d'une valeur individuée), vécue comme épanouissante. Gérald a besoin de la vitalité de Diane, de sa nervosité qui exprime de fait celle qu'il vit intérieurement mais que sa possessivité et son insécurité conditionnent vers une réclusion ou repli sur eux-mêmes. Diane intégrera le système par de longues périodes de somnolence le jour (quand Gérald travaille) et une agitation la nuit. Ça dérange mais c'est plus confortable sur le plan affectif (du moins celui de Gérald et de fait des deux puisque le système se maintient malgré la crise passée).

Les gestalts «à dominance» (si l'on peut dire) inverse se retrouvent aussi dans le domaine de la psychose. Maria présente des défenses obsessionnelles très rigides où une agressivité massive sous-jacente est constamment mobilisée dans un contrôle excessif qui va jusqu'à la parcimonie et l'intolérance. Florent, immature et dépendant, s'immerge bien dans ce pattern. Après dix ans de mariage, il fait un premier geste sans le consentement de Maria. C'est le début de ses décompensations dépressives et dissociatives. Il en fera six sérieuses en quatre ans. Puis, il se séparera sans être en fait capable de l'assumer. Son ambivalence le ramènera en visite chez Maria qui le fera mettre en prison à trois reprises. Nous avons su par la suite que c'est le jour de sa dernière sortie qu'il s'est jeté sous le métro.

Nous avons déjà élaboré l'importance de la surdétermination cognitive et de la faille fusionnelle primitive dans la psychose. Cette surdétermination est à l'origine du processus et l'entretien. Les patterns sont fixés, rigides. Les gestalts présentent des engrammes de complémentarité où toute autre mobilisation reste difficile. La réversibilité des polarisations est pauvre dans le champ actualisé (ou à double contrainte comme déjà citée) et ne s'établit pas à d'autres niveaux en tant que réciprocité de partage et de 'fluctuance' dynamique d'établissement des identités.

La symbiose mère-enfant (ou équivalent) constitue l'empreinte initiale où s'élabore l'appétit social. Elle amorce la densité et l'étendue de cette texture où l'emprise d'être pourra s'incruster. Elle allie la diffusion et la variance d'un déterminé possible aéatoire qui situe et élabore l'alternative comme 'imprinting' existentiel. Elle forme une gestalt essentielle primitive. Les autres se façonneront peu à peu, à la fois en éventail et en filigrane continu mais de plus en plus nuancé et riche. La souplesse du mouvement relationnel, de l'état humain dans son collectif, se fonde sur la potentialité inhérente à cette première gestalt. Son appétit et sa soif du collectif y résident.

La diffusion initiale et l'élaboration cognitive sont les paramètres constants qui joueront comme constituants des champs énergétiques plus vastes (macrocosme). Nous avons situé dès le départ la pression sociale comme catalytique (facilitation affective), gestalt diffusante de 'modeling' imprégnant, voire créatrice d'issues virtuelles (néoténie alpha).

Nous avons par la suite constaté le dynamisme structurel inféré par la tonalité cognitive. Mémoire, attention et perception organisent un champ d'acquisition et d'élaboration progressive. Éducation, habituation et communications insèrent le même processus au niveau social, favorisent en ce sens une homogénéisation et, de fait, fondent la possibilité d'une démarche cognitive plus poussée.

En parallèle, nous avons situé des gestalts de base aux dimensions spatiale, temporelle et sociale. La première établit le pattern d'éloignement rapprochement, la seconde, celle de la perte et de la possession, la dernière, la diffusion et l'issue en différence. La culture, à travers le milieu de couvée, les habitudes sexuelles et la variabilité du processus d'appropriation favorisera des tonalités particulières de familles, patries et religion (ou vice-versa).

Ces gestalts primitives, appuyées sur les structures cognitives individuelles et sociales (mémoire, éducation, attention, habituation, communications, perception...) constituent cette texture sociale existentielle. Organisation et diffusion mettent à jour des champs polarisés restreints (microcosme) où une part importante de la 'mouvance' personnelle s'établit. On note au passage la fixité de la psychose liée au manque de réversibilité au sein des gestalts.

À un autre moment (les jeux du réel), nous situons ces champs polarisés sur une plus vaste étendue, que ce soit au sens professionnel (travail) ou, de fait, dans une position de vie. On y retrouve des gestalts où les rôles sont plus figés mais avec une pluralité de 'formes' ou de 'niveaux' concomittants comme ouverture alternative. Que ce soit dans la première ou la seconde illustration, les gestalts sont lieu d'espace de mouvement, de familiarité humaine, de pouvoir et de cristallisation d'identité. Ils sont lieux d'insertion sociale. Les teintes personnelles restent multiples même si enracinées et déterminées de façon plus spécifiques dans quelques imprégnations.

Diffusion et organisation président aux regroupements collectifs. Ils sont lieux fusionnels et d'appartenance dans l'appétit de familiarité auquel ils correspondent. Ils sont espacés virtuels de sexualité et d'identité dans l'épanouissement en différence qu'ils induisent. Homogénéisation et évolution enrichissent de nouvelles gestalts ce collectif humain comme champ de sa 'mouvance' dans le réel. De la pluralité des forces de la nature à l'unicité d'un Dieu, de la toute puissance en décelage au fils sacrifié comme désir de partage, de la concrétude du pouvoir à la facilitation égalitaire, l'humanité procède par étapes dans l'élaboration de mythes créateurs de consensus et de gestalts qui lui servent de mobilisation articulée vers un oméga encore inconnu. Une gestalt littéraire séduisante nous la fait ramener pour le plaisir et pour conclure sans vraiment le faire vers une néoténie alpha !

CHAPITRE TROISIÈME

Synthèses adaptés aux résidents en médecine familiale.

LA PSYCHIATRIE SOCIALE

A- La fusion-individuation

L'optique de psychiatrie sociale que nous décrirons ici est celle du soulagement de la souffrance humaine dans la triple perspective d'accessiblité dans ses dimensions biologiques, d'intériorité et de 'socialité'. Elle se fonde sur une approche structuraliste d'intégration de ces facettes comme champ de compréhension des différents existentiels humains. Elle conçoit l'intervention d'aide en fonction de ces niveaux et équilibrations tout en se situant dans une dialectique de la vitalité humaine, oscillante entre l'individuation et la fusion.

B- L'entropie

L'enfant naît dans un état indifférentié qu'il habite d'une totalité réactive. La texture symbiotique absorbera cette totalité biologique et décantera des aménagements psychiques en corrélation aux substrats en présence. La totalité de la masse affective se confronte à la connaissance du réel à travers différents entrechocs et frustrations. La plénitude initiale se verra engagée dans un processus entropique de limitations de plus en plus étouffantes dont le terme final en serait l'extinction ou la mort.

SCHÉMA DE L'ENTROPIE

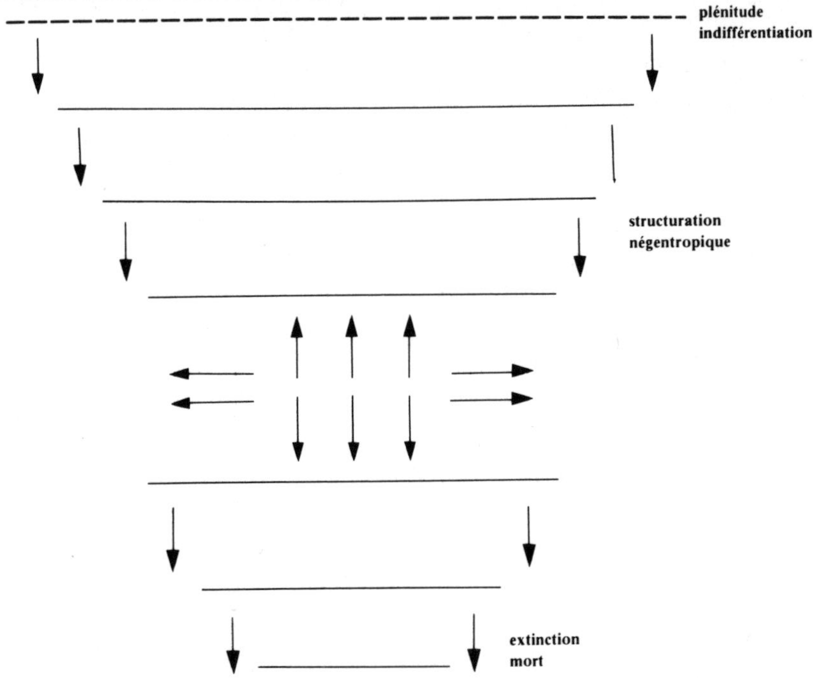

— lignes et flèches horizontales: forces fusionnelles de stabilisation

— flèches verticales extérieures: forces individuantes de limitation

— flèches verticales intérieures (pattern de structuration négentropique) forces fusionnelles récupérées de façon cognitive dans processus individuant de stabilisation

nb: La vie va de la fusion à l'individuation (naissance à la mort). Elle maintient sa dynamique vitale dans des aménagements temporaires où l'être oscille entre vivre de soi et vivre des autres.

C- Les structures néguentropiques

Pour contrer cette entropie, il se développe une texture symbiotique milieu-enfant, 'socialité' existentielle de base, à travers laquelle se fondera les différents types d'individuation. Cette structure fondamentale maintiendra le potentiel affectif 'élatif' malgré l'impact des tensions cognitives qui amèneront peu à peu à réaliser les délimitations. Nous appellerons cette structure fondamentale, toute imprégnée d'affects indifférentiés, diffusants, du vocable de fusionnel. C'est l'innéité sociale humaine. L'autisme en signera le déficit ou la perturbation; la dépendance, l'imprégnation existentielle.

Les mises sous-tension qui éveillent la connaissance vont engendrer des processus de délimitation. Cette cognition va s'imprégner au niveau cérébral par l'intermédiaire de la motricité et des perceptions sous forme de réflexes imprégnants et de représentations. Du développement significatif des images, on dira aussi 'capacité symbolique'. Les imprégnations inscrites dans des modalités réflexes sont variables selon le vécu de chacun.

Le développement du processus de symbolisation présente aussi la même latitude. Il peut parfois être court-circuité, le plus souvent de façon partielle. Certains fonctionneront à un niveau de représentation plus strictement formelle, en relation à un réel très concret. D'autres investiront les possibilités de décalage entre signifiant-signifié pour se créer un espace intérieur plus significatif. Ces formes variables susciteront des aménagements négentropiques, des typologies individuées où affectif et cognitif diversement interinfluencés permettront des patterns de stabilisation temporaire à l'encontre de l'entropie.

Les structures néguentropiques

SUBSTRAT BIOLOGIQUE ET IMPRÉGNATIONS RÉFLEXES

SUBSTRAT FUSIONNEL ET INNÉITE SOCIALE

SUBSTRAT COGNITIF ET TYPOLOGIES INDIVIDUÉES

	1er niveau de représentation		2e niveau	
court-circuit		c.-c.		c.-c.

Nous distinguerons les structures intériorisées quand la représentation est fortement symbolisée et que le mouvement d'identité est situé dans une dynamique de cet ordre fantasmatique, très liée aux cohérences induites des sensations vécues. En parallèle, nous aurons les structures anaclitiques quand le sens est véhiculé à travers les autres ou que l'identité est cernée par des processus de fonctionnement social, le tout orchestré à des facilités de représentations plus souvent concrètes et formelles.

Les typologies individuées

	Substrat cognitif	
	1er niveau / représentation court-circuits	2e niveau / représentation
Substrat fusionnel	Modalité anaclitique	Modalité intériorisée

Les structures négentropiques ne sont pas exclusives l'une de l'autre. Elles s'interpénètrent et se vivent en partie l'une avec l'autre. Certaines zones de la personnalité peuvent avoir été imprégnées d'une symbolisation plus marquée que d'autres. Un potentiel symbolique très fort peut avoir été sidéré par des images négatives précoces. Certains passages de la vie peuvent favoriser une émergence symbolique (ex. : enfant de 4-7 ans) ou, au contraire, contraindre à un vécu plus formel (crise économique, mort appréhendée...).

Structures mentales

	Typologie anaclitique	**Typologie intériorisée**
1. *Capacité symbolique*	1er niveau de représentation	2e niveau de représentation
2. *Pensée*	concrète	fantaisiste
3. *Rêves*	peu de souvenir, répétition du vécu	fréquents, symboliques
4. *Structuration des affects*	surtout intégrés à des moules prédéterminés (rôles, médiums, fusionnels...)	surtout élaborés par des cohérences progressives à partir du vécu intérieur
5. *Réactivité*	réflexe et immédiate, investissement de l'agir, attente difficile, recanaliser dans forme liée au rôle ou à la diffusion fusionnelle court-circuit / corps	investissement de la pensée réinterprétation suivant actualisation symbolique attente fructifiante
6. *Sens et identité*	sens et vécu à travers les autres, insertion dans des rôles	intériorité
7. *Conscience morale*	rigide, stratifiée, poreuse	souple, jeu polarisé à travers culpabilité
8. *Champs polarisés*	dépendance-indépendance activité-passivité liberté-sécurité	jeu-authenticité
9. *Pathologies*	dépressions maladies psychosomatiques tr. caractériels	névroses
10. *Traitement*	relation anaclitique provisoire thérapies de support et de croissance cognitive du moi... thérapies biologiques, médicamenteuses, de relaxation... intervention du système, sur l'insertion et les rôles sociaux participation à des vécus fusionnels (religion-patrie-amour-groupe-arts-mysticisme-famille-travail)	psychothérapie non directive facilitation cathartique de l'expression émotive expérimentation relationnelle

Le cheminement de l'être humain se fait à travers une imprégnation fusionnelle pour s'aménager dans des patterns individués. Par la suite, le vécu oscillera entre des mouvements fusionnels (amour, enfant, patrie ou collectif...) où se situeront des rôles (travail, famille...) et parfois des parcours intériorisés. De même façon, les collectifs se génèreront d'une participation consensuelle, à base d'une mythique fusionnelle (ex. : religion, musique,...) et s'aménageront à travers des processus d'institutionnalisation ou de fonctionnement, pour se dissoudre de façon naturelle dans les parcours hétéroclites et individués de chacun. Et le processus se poursuivra...

BIOLOGIE ET PSYCHISME

Maturation neurologique et neurotransmetteurs

Quand l'être humain vient au monde, il en a encore pour des années à compléter son développement. Au niveau neurologique, la structure anatomique des neurones est complétée plus ou moins vers la fin de la première année. Il n'en est pas de même au niveau biochimique où la mise en place des neurotransmetteurs n'est achevée qu'avec la puberté. Cet état progressif permet un impact d'autres facteurs, tels les facteurs environnementaux sur cette organisation neurochimique soit en relation avec la quantité soit en fonction de sa modulation.

A) La capacité intégrative

1) La délinquance, une carence en neurotransmetteurs

La compréhension la plus simple de ce phénomène, c'est le processus et la capacité aux apprentissages. Il y a beaucoup de formes de délinquance mais le syndrôme le plus classique et le plus complexe est celui où l'on retrouve ces difficultés d'apprentissages depuis le début de l'âge de latence. Aux tests intellectuels, on notera ce décalage majeur du non-verbal (+ haut) sur le verbal (+ bas), ce qui signe la carence intégrative. En neuropsychologie, il y a une hypothèse qui postule le déficit (ou non développement) des neurotransmetteurs dopaminergiques au niveau préfrontal gauche. Qu'on l'envisage en termes de distorsion précoce ou d'aménagement conditionné lié au milieu, cette limite devient structurelle à l'adolescence. Elle signe l'état cognitif du MOI issu des imprégnations psychobiosociales de la croissance. À la puberté, la quantité de dopamine préfrontale gauche ne change plus. Vu cette pauvreté, le MOI en difficulté devra s'adapter à l'environnement, en utilisant la facilitation à l'agir et la continuité de l'autre.

La quantité de certains neurotransmetteurs pourrait être variable (en termes d'accroissement) selon l'actualisation des apprentissages durant la croissance. Après la puberté, cette quantité reste stationnaire et constitue la limite de la capacité intégrative de l'individu. Le processus d'équilibre fera appel à ce moment à l'agir, à la médiatisation fusionnelle et / ou à l'impact psychosomatique.

2) La schizophrénie, un déficit de l'habituation

Dans les formes plus sévères de la schizophrénie, on retrouve souvent le décalage cognitif qui caractérise le déficit intégratif. Ce qui est toutefois plus frappant ou ce qui se surimpose de façon manifeste, c'est le non-apprentissage face aux changements. La réactivité aux stimuli se révélera excessive à la fin de l'adolescence quand la médiatisation familiale s'atténue sous la pression individuante des besoins physiologiques et psychosociaux de la confrontation adulte. Même s'il n'y a pas carence intégrative, l'intensité des stimuli créera le processus en forçant la capacité à un niveau inaccessible.

Il existe entre la moëlle épinière et le cerveau, une formation neurologique dite «réticulée» qui filtre les perceptions vers le cerveau gauche (ou intégratif). Par sa latitude neurochimique cette substance érige un seuil qui ne laisse passer qu'une quantité modérée de stimuli vers le cerveau gauche. C'est un peu comme un barrage. Si on va dans une discothèque, on est submergé au début par le bruit puis peu à peu on les entend moins. À l'inverse, si on s'endort en écoutant la télévision, le fait que quelqu'un ferme le son peut nous réveiller. L'habituation, c'est ce phénomène dynamique qui règle notre seuil perceptif à des niveaux intégrables pour le cerveau gauche. Le déficit de cette régulation provoque une inondation ou envahissement par les stimuli que le moi peut difficilement contrer. Le «senti» qui en résulte en est un d'angoisse de désorganisation. Le processus d'équilibre sera alors de polarisation massive (délire) contre l'extérieur qui détruit.

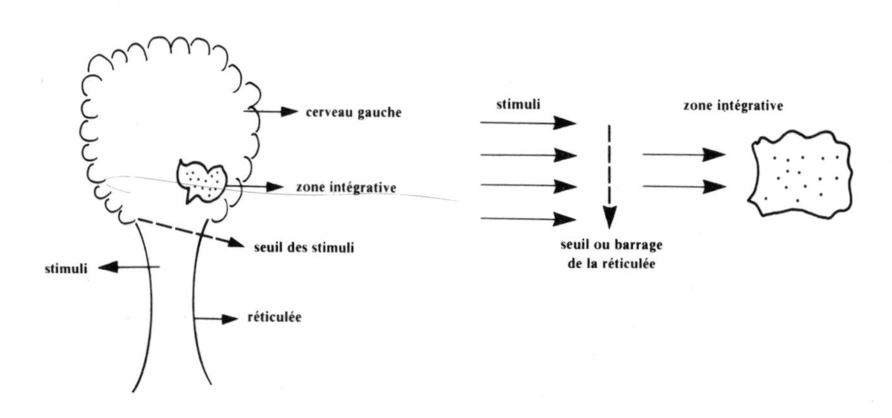

Habituation: régulation du seuil de stimulation de la «réticulée»

Dysfonction 1) légère ou passagère: angoisse
2) sévère et / ou continue: dissociation

Ce qui baisse le seuil de façon usuelle: les émotions, le stress

Ce qui le relève de façon usuelle: la sensation de capacité

Ce qui baisse le seuil à travers un déficit d'habituation: l'insécurité

Ce qui le relève en intervenant sur l'habituation: la présence, l'attachement

Les tranquillisants majeurs ou antipsychotiques relèvent le seuil de façon rapide sans processus de régulation

Dans la schizophrénie, à la carence intégrative s'ajoute un déficit de l'habituation. Cette dysfonction dans la régulation des stimuli vers les centres intégratifs constitue un éclatement au sein du moi. Cette hypothèse ouvre la compréhension multifactorielle de cette pathologie. Le non-apprentissage aux changements, la modulation de l'appartenance et le déficit physiologique peuvent interférer avec les neurotransmetteurs qui président à l'habituation.

3) La dépression, une souffrance du cerveau droit

Depuis quelque temps déjà, plusieurs recherches ont mis en évidence une différence fonctionnelle pour chaque cerveau. À l'aspect analytique et intégratif de l'hémisphère gauche correspond la forme synthétique et d'appréhension globale de l'hémisphère droit. L'aménagement affectif semble y être lié en grande partie au point que, peu à peu, plusieurs centres hospitaliers ont réaménagé leur technique d'électrochocs dans les dépressions psychotiques pour la centrer sur le cerveau droit. Le malaise affectif est de l'ordre du senti, de ce qui est «impressionné» au sens de la forme, de la gestalt entière. Quand la souffrance devient excessive à ce niveau, elle diffuse au cerveau gauche et amène une dysfonction des capacités intégratives du MOI: difficultés de concentration, troubles du sommeil et de l'appétit, ralentissement psychomoteur, ruminations excessives... L'utilisation des anti-dépresseurs libère le cerveau gauche de la souffrance droite et permet aux mouvements du MOI de se réinsérer dans un vécu qui se poursuit, dans un réaménagement de l'espace affectif. Il y a un parallèle entre le temps du deuil et celui d'utilisation minimum des anti-dépresseurs, soit de 3 à 6 mois. Ce temps, c'est celui de l'évidement d'une catharsis mais aussi celui d'un remplacement, d'une resituation dans une forme qui se vit vers... (mouvance). S'il n'y a pas de démarche, d'agirs d'intégration au présent (ce qui, vu le temps, est le mouvement minimal), le deuil et l'état dépressif se maintiennent. Il ne peut qu'en être de même de la médication.

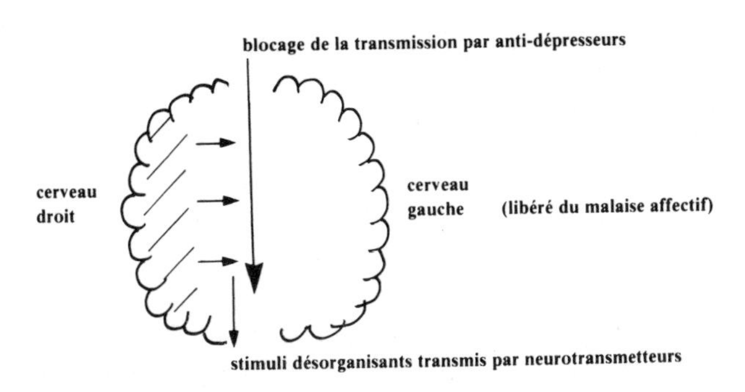

La dépression qui s'inscrit dans les circuits cérébraux de l'hémisphère droit est diffusée par les neurotransmetteurs au cerveau gauche où les stimuli excessifs amènent une dysfonction du moi qui ne peut les intégrer. Les antidépresseurs libèrent ce moi qui n'a pas une capacité suffisante pour faire face à ce type de stimuli (non-apprentissage à cet égard) et permettent l'aménagement du quotidien, ce qui constitue de soi un mouvement vers l'avenir. S'il n'y a pas d'agirs à ce niveau, dépression et médication se 'chronicisent'.

B) Le cortex humain et le contrôle

C'est l'apport de McLean que d'avoir formulé l'évolution de la constitution du cerveau en trois étapes:

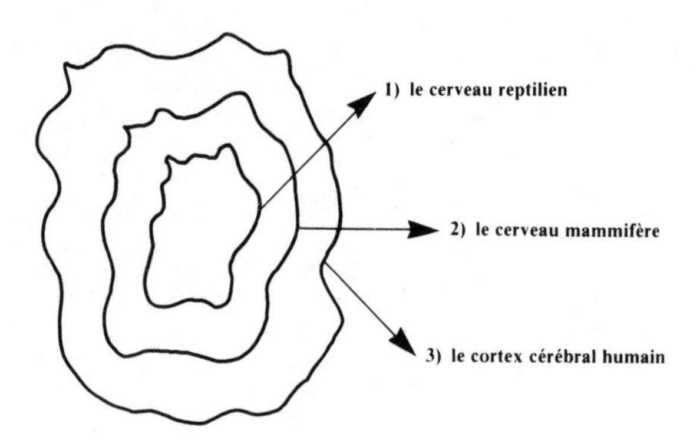

Chaque couche cérébrale s'intrique l'une dans l'autre mais se caractérise par des types de neurones et de neurotransmetteurs spécifiques à chaque cerveau. Le plus primitif (reptilien) induit l'impulsivité de survie (instinct). Les deux autres seront des formations qui, de façon graduée, agissent sur le premier en termes d'aménagement ou de contrôle (apprentissage, connaissance...).

Chez l'enfant, on retrouve une immaturité neurologique à l'origine d'un syndrôme d'hyperactivité dit dysfonction cérébrale minime. Cette immaturité est celle des formations liées au cortex où il y a carence d'un neurotransmetteur. L'utilisation d'amphétamines pour suppléer à ce manque (proximité des amphétamines et du neurotransmetteur) donne au cortex son contrôle fonctionnel sur l'attention et la motricité. L'enfant récupère ses capacités d'apprentissages. Avec le temps, la maturation cérébrale produit peu à peu le neurotransmetteur. Les amphétamines viennent en surdose et provoquent leur effet usuel, soit celui de stimulant.

L'hyperactivité chez l'enfant est l'expression de sa réactivité aux tensions internes ou à l'environnement. L'enfant apprend d'abord avec sa motricité et, quand il vit un malaise, c'est son médium expressif. Une partie des difficultés hyperactives se révèlent d'origine biologique (plus ou moins

1 sur 4). On a retracé un syndrome d'immaturité qui cause cette hyperactivité par déficit d'un neurotransmetteur (plus ou moins 1 sur 5). Avec la maturation l'hyperactivité s'atténue. Si l'on ne veut pas que l'enfant rate ses apprentissages, il faut utiliser des amphétamines de façon temporaire pour remplacer ce neurotransmetteur, puis les enlever au fur et à mesure de la maturation.

C) Le Lithium et la manie-dépression

Depuis 20 ans, la biochimie médicale a mis en évidence une nouvelle substance régulatrice, le lithium. Son effet est spécifique pour la manie mais il agit aussi sur certains processus dépressifs cycliques d'une étiologie similaire à la manie ainsi que sur certains aménagements de caractère (études en cours). De toutes les maladies mentales, la manie est celle dont l'origine biologique semble le plus probable. Le processus en est un d'accélération des stimuli et de la pensée mais de façon globale. L'habituation suit le même cours (et n'est pas déficitaire comme dans la schizophrénie). Le phénomène en devient un d'intégration excessive qui produit un «senti» d'«élation» ou euphorie de capacité ou de toute puissance. La maladie évolue de façon cyclique en phases maniaques ou phases maniaques alternées avec des moments dépressifs. L'aspect dépressif se caractérise de façon inverse par un ralentissement généralisé qui s'accompagne d'humeur noire endogène. Le lithium imbibe les neurones et diminue la réactivité excessive liée à l'ampleur des cycles. «High and down» s'atténuent. C'est tout le processus d'intensité qui est court-circuité. Plusieurs vivent difficilement cet affadissement de l'intensité représentant pour eux la santé (?).

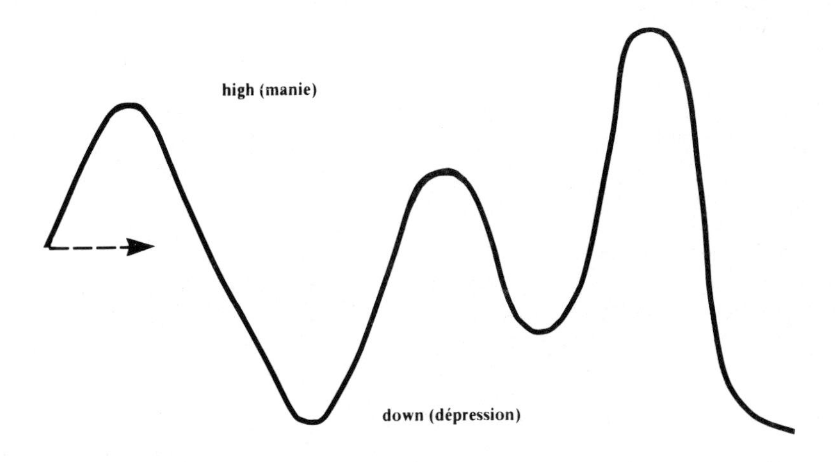

La maladie maniaco-dépressive se caractérise par accentuation de l'intensité à travers l'accentuation ou le ralentissement global des processus de la pensée. L'impact affectif en est un de «high» et «down». Le lithium agit comme régulateur au niveau de la masse neuronale au sens qu'il atténue les cycles ou la réactivité dans les deux sens. Tous se passe comme si la maladie donne une prédominance aux stimuli du cerveau droit et que le lithium atténue cet impact. L'habitude chez le sujet de vécus d'intensité crée, avec le lithium, un affadissement difficile à vivre dans le quotidien pour certains sujets.

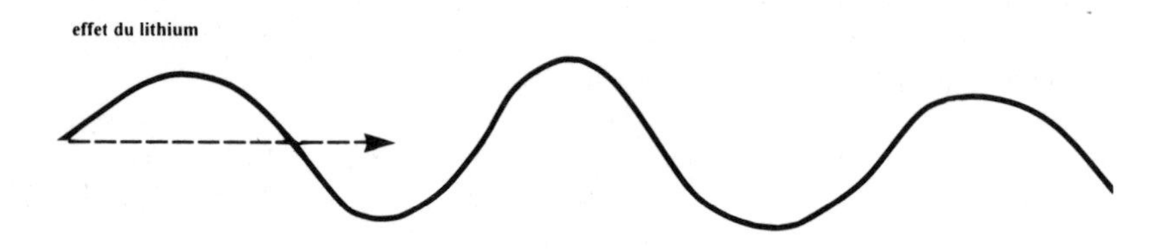

D) Les structures neurophysiologiques de l'accès symbolique

L'aménagement de la mentalisation procède de la mise en code des informations et du traitement que l'on peut y articuler. La forme de la pensée sera tributaire de ce code dont on définira la typologie en termes de capacité symbolique. Quand le mot ou concept sera une reduplication signifiante très proximale de l'objet, on parlera de «concrétude». Quand le mot ou concept sera une reduplication signifiante plus floue de l'objet, on parlera de «distance symbolique» (plus ou moins). L'importance relative d'un décalage signifiant / signifié ouvre un espace dit intérieur appelé inconscient individuel.

L'intériorité d'un sujet très près de la concrétude (niveau symbolique 1) est de nature interactionnelle, à croissance cognitive. Il y a peu de souplesse dans l'aménagement des processus affectifs qui sont évités, vécus de façon globale, intégrés en gradation tensionnelle au niveau du corps ou diffusés à travers une médiatisation sociale. L'intériorité du sujet avec plus de capacité symbolique en est une de recherche intérieure, d'une quête d'identité, d'assonance significative des affects avec une trajectoire de sentis modulés entre autres de façon psycho-sexuelle. Les affects sont ainsi intégrés dans des évidements cathartiques pulsatif (reduplicatifs) caractéristiques des aménagements dits «névrotiques» (niveau symbolique 2). L'intensité investie dans les processus intérieurs dilue la réactivité aux stress externes et, de là, aux mises sous tension contingentes.

Il y a des rythmes physiologiques où l'on retrouve exprimées ces tonalités de concrétude et de symbolisme, rythmes agencés dans une continuité cyclique qui est celle du sommeil: mouvement quotidien du corps, alternance des temps de sommeil profond et de sommeil paradoxal, récupération physiologique et expression symbolique intégrées dans un circuit où se métabolise la modulation psychosociale (imprégnation fondamentale où s'intrique la fusion-individuation des processus individuels et collectifs).

a) Le sommeil

Depuis 30 ans, il s'est fait beaucoup de recherches sur l'état physiologique du sommeil et du rêve. On a constaté que cette période était constituée de cycles de plus ou moins 90 minutes, cinq ou six de ces circuits constituant un temps de sommeil usuel. Chaque cycle est lui-même structuré en deux étapes: sommeil profond et sommeil paradoxal (ou MOR ou REM en anglais). Au début de la nuit, le sommeil profond dure plus o moins 7 / 8 du cycle et plus la nuit s'avance, plus le MOR occupe une partie importante (jusqu'au 1 / 3 ou même la ½) de ce temps. Comme il en est d'une nuit, il en est de même d'une vie où, avec le vieillissement, le temps de sommeil profond s'atténue, ce qui donne de façon relative plus de temps au MOR à l'intérieur du cycle et, de façon globale, atténuera le temps accordé au sommeil chez le vieillard.

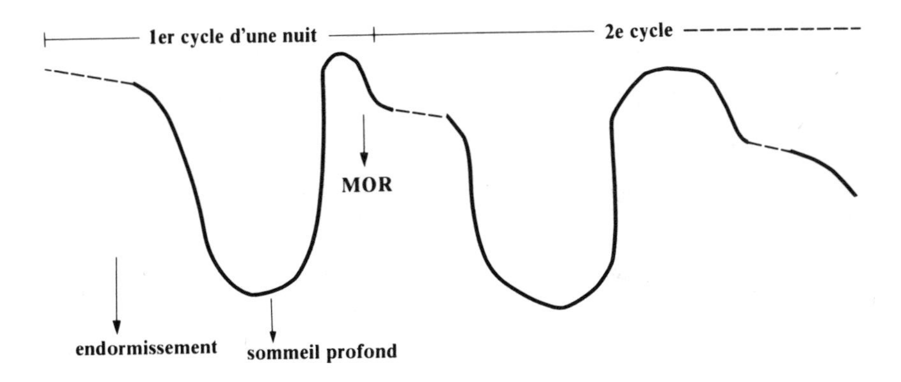

1) Le sommeil profond

La durée du sommeil profond semble en relation étroite avec l'éveil. Plus l'état de vigilance est long, plus la période du sommeil profond s'allonge, entre autres dans les cycles du premier tiers de sommeil. C'est aussi le temps de sécrétion de l'hormone de croissance. Les rêves sont présents vers la fin du sommeil profond, le plus souvent comme des images, un déroulement concret, une reduplication du réel. L'agir est possible. On retrouve à ce stade les états de somnambulisme et de terreurs nocturnes. L'éveil y est difficile. C'est un moment de récupération physiologique.

2) Le sommeil paradoxal (REM ou MOR)

Le MOR est la période qui boucle chaque cycle de sommeil. À ce moment, il se produit une paralysie des muscles de l'organisme qui sont sous contrôle volontaire alors que le système végétatif (érection, palpitations...) semble assez réactif à ce moment. C'est une période d'abondance de rêves dont la texture devient plus bizarre, hétéroclite, mélangée. Ces rêves semblent accompagnés d'une sécrétion de cortisol.

Certains phénomènes du MOR commencent durant les dernières périodes du sommeil profond. Que l'on pense aux images plus fixes ou plus concrètes de ce sommeil ou aux pics avortés de petits MOR parallèles à l'énurésie nocture (enregistrés sur des EEG de sommeil).

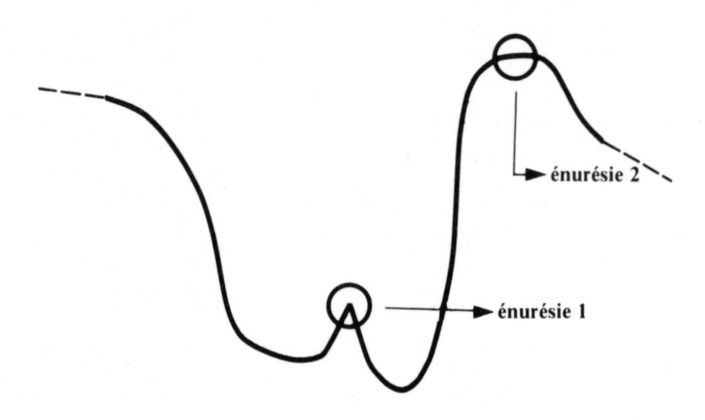

Dans l'énurésie nocturne, on retrouve celle du début ou milieu de la nuit qui survient durant le sommeil profond lors de poussées partielles du MOR. Puis, il y a l'énurésie du petit matin qui arrive durant les périodes plus importantes de MOR.

L'amplification des rêves dans le MOR est parallèle à la production de cortisol et à certains états dépressifs. Longtemps, l'efficacité d'un anti-dépresseur a été liée à sa capacité de supprimer le MOR. Le test de suppression à la dexaméthasone est fondé sur cette relation RÊVES: ↗ CORTISOL: ↗ DÉPRESSION: ↗. À un autre niveau, l'activité du rêve est liée à des maladies à teinte psychosomatique. On retrouve principalement quatre maladies qui peuvent se déclencher dans la seconde moitié de la nuit: la maladie coronarienne, l'ulcère d'estomac, l'asthme et la migraine.

b) L'hypothèse sérotoninergique

L'entrée en sommeil profond est parallèle à la production par le cerveau de sérotonine, laquelle est accompagnée par la sécrétion de l'hormone de croissance, l'accroissement de la sérotonine amènent une métabolisation de ce produit. Le processus de transformation favorise l'apparition et la structuration du rêve (analogie avec le LSD) en interaction réciproque avec d'autres neurotransmetteurs (ainsi il y a déclenchement de sécrétion noradrénaline au niveau caudal du locus cœruleus, phénomène responsable de la paralysie durant le MOR).

L'hypothèse sérotoninergique, même si elle constitue une simplification, a l'avantage de fournir un modèle intégré, d'une continuité des deux temps de sommeil (profond et MOR). Certains auteurs vont aller plus loin et considérer ces cycles en un rythme échelonné sur 24 heures avec un effet diurne sous-jacent à l'état d'éveil. Le sommeil profond, qui en est un de récupération physiologiqe (donc du corps), est infiltré ou, si l'on veut, en continuité avec une mise en image progressive (capacité symbolique) qui culmine au niveau du MCR.

Les images du sommeil profond sont plus fixes, plus concrètes. Elles ont un caractère hallucinatoire et peuvent s'accompagner d'agirs. Somnambulisme et terreurs nocturnes évoquent ce processus. Les personnes qui ont dans leur histoire de tels épisodes semblent plus vulnérables à l'anxiété (aménagement phobique ou contre-phobique et personnalités psychosomatiques). La mise en images plus complexe, plus symbolique facilitée par le MOR s'accompagne d'une réactivité du système végétatif (érection, palpitation...). La personne qui a une vulnérabilité corporelle vit mal les épisodes MOR et, chez elle, on retrouve peu de souvenirs de rêves. Quand il y en a, ils sont le plus souvent concrets. Cette atténuation symbolique se retrouve dans la personnalité où l'agir est important. Chez le vrai délinquant, on retrouve souvent de l'énurésie. Dans la dépression, il y a une amplification des rêves, répétitifs, concrets, comme si le décalage symbolique les aménageait mal. La sécrétion de cortisol exprime cette difficulté. Dans le stress à l'état d'éveil, l'augmentation des stéroïdes est aussi une étape dans la réaction de l'organisme.

c) Concrétude et symbolisme

Il existe au niveau du sommeil tout un ensemble de processus où s'exprime une continuité entre la physiologie du corps et la mise en image. Lorsque la capacité symbolique est forte, les émotions sont aménagées en distance ou décalage avec le corps. On dira qu'il y a une intériorité de type symbolique (niveau symbolique 2), une intégration des intensités affectives dans des aménagements cognitifs et réflexes appelés aussi névrotiques. Lorsque la capacité symbolique est faible, les émotions sont vécues globalement, en diffusion au milieu social et au corps (agirs ou circuits somatiques). On dira qu'il y a une intériorité de type concret (niveau symbolique 1). Dans ce dernier cas, l'impact du cerveau droit (sens de la forme et de l'affectif) est plus entier (moins discriminé) au SOI (corps et milieu). La structure sera dite anaclitique (émotions en diffusion) et le MOI s'articulera davantage en formes cognitives encapsulées (rôles).

Si l'on produisait une courbe de fréquences statistiques des structures de mentalisation, on retrouverait en polarités extrêmes la pensée psychosomatique et la pensée névrotique.

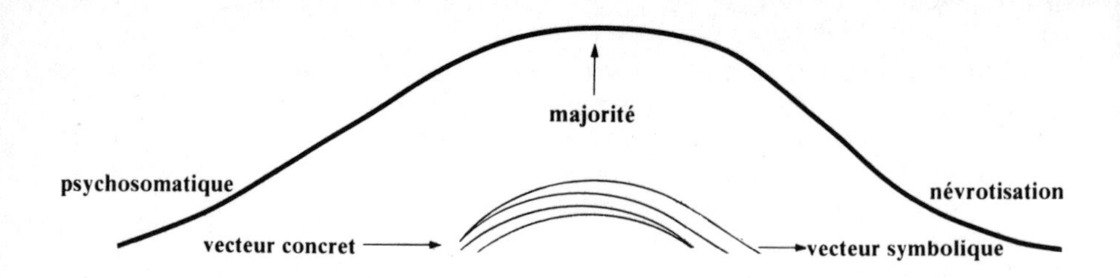

L'immense majorité de la population se retrouverait au centre avec un peu des deux modalités d'être, chacune fluctuant en sens inverse suivant de multiples facteurs dont le vieillissement, la maladie physique et l'insertion symbolique plus significative de certains niveaux ou certaines images. Les processus du corps se véhiculent en général dans des positions anaclitiques (fusionnelles). La saveur symbolique renforce la distance et la différentiation cognitive (individuée).

La pression polarisée force un investissement complémentaire des perceptions et des comportments (ex. visuel vs auditif). Ainsi, entre deux structures concrètes, celle qui s'actualise le plus à ce niveau jouera ce rôle alors que l'autre habitra une manière d'être d'apparence symbolique, soit le plus souvent une idéalisation abstraite (ex. romantisme...), un comportement peu adapté (ex. instabilité...), une position déficitaire (ex. dépression...). On pourrait mieux représenter ce potentiel avec le diagramme suivant:

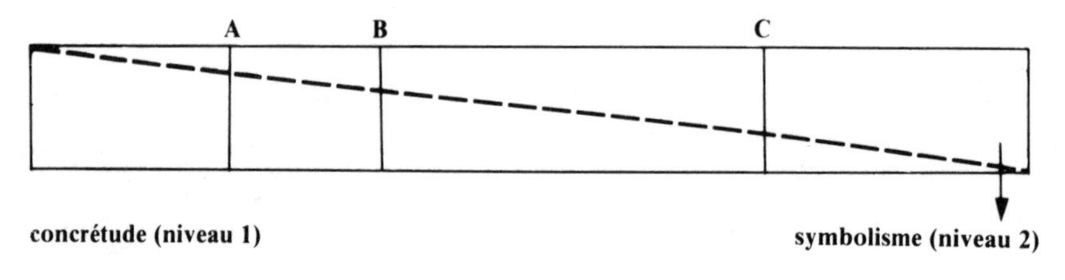

A: concret (75%) — symbolique (25%)
B: symbolique (75%) — concret (25%)
C: concret (60%) — symbolique (40%)

La formation du couple AC est plus probable que toute alliance avec B. Si dans les rôles au sein du couple AC, C joue la position symbolique, il investira une idéalisation ou une instabilité; si A joue la position symbolique, on le retrouvera dans un mouvement dépressif ou psychosomatique. La maladie physique est contemporaine d'une accentuation concrète de même, qu'en général, l'approche de la mort. Au niveau physiologique, il y a proximité entre l'imagerie liée au sommeil profond (récupération biologique) et la concrétude, de même qu'entre le niveau symbolique 2 et l'aménagement des rêves dans le REM.

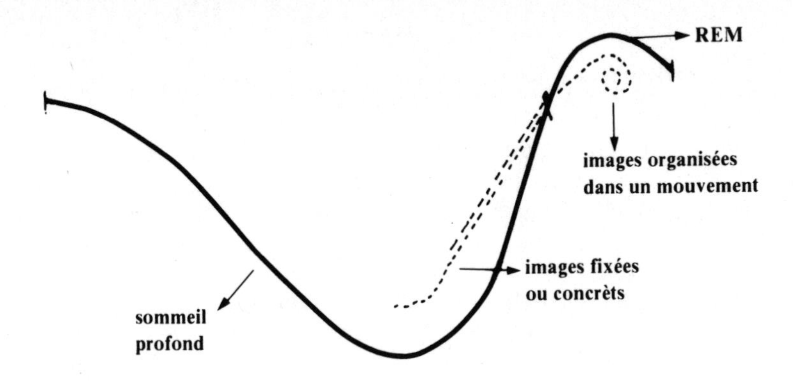
REM
images organisées
dans un mouvement
images fixées
ou concrèts
sommeil
profond

SYNOPSIS

CONCEPT: Concrétude (1er niveau symbolique)

La capacité symbolique se réfère à « l'appellation » ou, si l'on veut, à la capacité d'utiiser un signifiant pour évoquer un signifié. Cette mentalisation peut s'avérer stricte : il y a peu de flou entre le concept et le signifié ou, on pourrait dire, il y a peu d'espace de mouvement dans l'évocation en elle-même. Toute la mobilité est dans l'interaction ou dans le champs polarisé ouvert. Ainsi, le symbolisme ne réside pas, par exemple, dans le bien en lui-même mais dans la dialectique bien-mal. C'est le fondement du rôle comme support à l'identité par voie de concrétude. Ce niveau symbolique procède à travers une forme signifiante qui détermine tout le sens (rôle). On y retrouve un contenant déterminant (ou forme) allié à un contenu indifférencié. L'affect qui y préside en est un de globalité (fusionnel). On y retrouve de façon alternative l'être imprégné de son rôle qui fonctionne comme un rouage du collectif (soldat...) et en même temps une intensité démesurée qu'on ne doit éveiller que dans la fonction du rôle (agressivité...) L'inorganisation des affects ou l'aspect « élatif » (absolu) des affects en chacun se lie nécessairement à un aménagement du niveau du contenant nécessaire (fixité formelle), soit de la concrétude en termes polarisés.

1er niveau symbolique :

- *contenant fixé, rigide, qui détermine (forme = rôle).*
- *contenu indifférencié, absolu, fusionnel (intensité, idéalisation).*
- *structure de l'identité — rôle, de l'interaction sociale, de l'appartenance.*

Son dynamisme :

- *mouvement non au sein mais à partir de l'évocation (espace polarisé externe).*
- *unité ou fixité de l'imagerie (hallucinante, répétitive, morte) avec une intensité alternative dans l'extrémisation polarisée.*
- *reduplication, stabilisation et fonctionnement social (intériorité en champs polarisés psychodynamiques stéréotypés).*

CONCEPT: Symbolisme (2e niveau symbolique)

Le second niveau de capacité symbolique relève d'un décalage plus prononcé entre le signifiant et de ce qui est de l'ordre du signifié. Cet espace plus vaste et flou au sens interne ouvre une dynamique au niveau de l'inconscient individuel: plusieurs sens sont possibles et vrais en même temps. L'évocation n'est pas l'induction d'une forme polarisée mais la résultante (synthèse) de plusieurs champs polarisés qui gardent une mobilité (à l'inverse du symptôme — concret — qui les fixe): c'est la boîte qui représente le mouton dans le Petit Prince de St-Exupéry. Il n'y a rien dans la forme sauf au contenant à même de permettre un mouvement interne: la fluidité induit le jeu, le refoulement possible et la culpabilité. L'évocation draine une vitalité, exprime la mouvance d'un contenu. C'est le scénario du film de Walt Disney: l'histoire sans fin. Le monde imaginaire, merveilleux de Fantasia ne peut avoir de vie qu'à travers l'évocation vitalisée du nom de la mère (décédée). Le deuil symbolique, c'est la récupération d'une appellation qui en vient à signifier une mobilité positive de l'être. L'ouverture vers l'intérieur de plusieurs champs polarisés donne accès par association affective — cognitive (sentis, vécus et perçus) à une imprégnation des pulsions libidinales à ces espaces d'intensité (psycho-dynamique). Plus la capacité symbolique est forte, plus l'intensité mimétique est récupérée dans une dynamique intériorisée où la force pulsionnelle libidinale structure à travers le refoulement et la culpabilité, un espace signifiant complexe dont les méandres servent d'évitement à l'angoisse de mort. Plus la capacité symbolique est faible, plus la pulsion libidinale est calquée à des champs polarisés simples, stéréotypés, retrouvés ou recherchés à travers les rôles qui les confirment.

2e niveau symbolique:

- *contenant lié en assonance de mouvement à un contenu qui détermine.*
- *intégration libidinale complexe qui accapare l'intensité (quête intérieure sans fin).*
- *structure de l'identité dans un décalage au réel ou à la stratification sociale.*

Son dynamisme:

- *processus de distanciation par remplacement à travers l'évocation.*
- *pulsions libidinales amorties face au réel et recanalisées à travers le refoulement et la culpabilité à un jeu évocateur d'intensité.*
- *ouverture d'un décalage qui s'aménage en gestalt sur le changement social.*

CHAPITRE QUATRIÈME:

Textes préliminaires à la réflexion sur une approche de psychiatrie sociale

La pathologie frontière

INTRODUCTION

C'est une pratique fort courante depuis l'essor de la psychanalyse que de rechercher dans les premières phases du développement de l'enfant à la fois l'analogie, l'étiologie ou les aspects structuraux d'une personnalité autant au niveau de ses traits de caractère que de sa pathologie.

Il en fut ainsi de la névrose puis, plus laborieusement, de la psychose. Ces catégories répondent bien à une réalité clinique mais, progressivement, il se crée un entre-deux: cas sévères obsessionnels, formes mineures schizophréniques, puis un ensemble d'atypies hétérogènes qui cadrent mal avec les formulations antérieures.

Au premier plan, la souffrance y apparaît moins symptômatique et c'est la déviance dans ses diverses manifestations qui force l'attention et la préoccupation. Le schéma d'évolution libidinale est plus ou moins retouché en fonction d'une pathologie du Moi. C'est l'arrêt du développement, la déformation, «l'égosynthonisme».

La recherche analytique continue de s'élaborer. À pathologie limite, on cerne une psychodynamique conséquente, c'est-à-dire dans le cheminement qui va du non-Moi à celui œdipien, du principe du plaisir à l'intégration de la réalité. Ce sont les processus d'individuation qui sont mis de l'avant et les avatars relationnels étudiés dans une optique étiologique et parfois structurale de cette zone frontière. C'est l'impact de la mentalisation qui y est scrutée dans son alternative où la «fantasmatique» y joue un rôle structurant et intégrateur.

Cette perspective séduit. On y ramène les structures de débilité, psychosomatiques, caractérielles, dépressives, phobiques, de perversité. Quel est ce cheminement? Quelle perspective différentielle permettrait de s'y retrouver? Peut-on rejoindre un modèle structural à même de susciter une cohérence où cette «Tour de Babel» qu'est la pathologie et la psychodynamique frontières soit accessible à une non-dispersion? Est-ce que notre vécu culturel peut jouer comme facteur aliénant dans la compréhension de cette perspective et dans son approche thérapeutique?

ÉVOLUTION DU CONCEPT

Les entités de psychose et de névrose ayant été les premières définies, c'est en relation à ces normes que l'on a toujours plus ou moins situé le concept de pathologie frontière. Mentionnons les formes atténuées de la démence précoce (1-Kraepelin 1883), les organisations schizomorphes, la schizophrénie latente, simplex, la schizothymie (2-3-Bleuler E. et M. 1911-1920), la dépression cyclique et la démence légère (4-Clark 1919),la schizoïdie (5-Kretschmer 1921), la psychose potentielle et le concept de régression (6-Glover 1932), la schizophrénie ambulatoire (7-Zilboorg 1941).

H. Claude (8-1937) développe le point de vue de passages entre névroses et psychoses, repris par P. Markovitch (9-1961) comme métamorphose structurale et par A. Green (10-1963-1969) dans le sens d'une continuité entre les deux formes. Stern (11-1938) mentionne des cas névrotiques avec troubles narcissiques graves. Helen Deutch (12-1942) décrit la personnalité «as if»: manque d'authenticité, hypertrophie de l'imitation dans toute sa plasticité et sa labilité.

Ce sont les psychanalystes anglo-saxons qui, les premiers, ont commencé prudemment à défendre le point de vue d'une entité nosologique indépendante. Knight (13-1954), tout en conservant l'optique de Glover sur la psychose «potentielle», accepte le terme de «borderline» et le décrit en termes de certaines fonctions affaiblies du MOI: pauvres défenses contre les impulsions inconscientes, processus secondaire peu élaboré, labilité du maintien de la relation d'objet...

Melitta Schmideberg (14-1959) en fait une véritable entité clinique qu'elle situe avec des éléments de normalité à la limite de la névrose, de la psychose et de la psychopathie. Si la réalité favorise ses particularités, le borderline vivra en accord avec elle. Il est centré narcissiquement sur lui-même et refuse de s'engager, tolère très mal les frustrations, présente un idéalisme excessif, de la dénégation, un manque de consistance et un refoulement insuffisant.

Bernstein (15-1964) y voit plutôt un refoulement excessif qui réduit le sens de la réalité et de l'identité de l'individu. Modell (16-1963) en fait un diagnostic structural basé sur un arrêt de développement dû à un manque d'affection maternelle: identification primaire, fantaisies de destruction, régressions limitées, énorme dépendance. Kernberg (17-1967) va dans un sens analogue en insistant sur la structure du moi pathologique, le clivage et un caractère dépressif masochiste.

Le groupe de Meyer et Gamm (18-1968: 18 membres) situe les «borderlines» le long d'un spectre entre les deux structures reconnues. À une extrémité, les névroses narcissiques avec de fortes défenses névrotiques et une apparence de normalité. Au centre, les cas plus instables, plus troublés avec une dominance de l'agir (fréquence des «acting-out»). Puis, ceux dont l'idéation paranoïde est majeure avec sentiments marqués de vide et relations d'objet ténues.

Dans un sens analogue, une étude behavioriste menée par Grinker (19-1968) conçoit quatre groupes dans un spectre similaire:

— À la limite de la psychose
— L'état marginal
— La personnalité «as if»
— À la limite de la névrose

Les caractéristiques communes sont la dominance de l'agressivité (le seul affect, la colère), les relations interpersonnelles insatisfaisantes, pas de sentiment d'identité, une dépression atypique sans culpabilité avec impression de vide. Notons une résistance particulière à toute décompensation psychotique importante.

Le concept d'arrêt de développement au niveau du Moi et dans une conceptualisation autre (M. Mahler 20-1958-1963-1968) au niveau de la séparation-individuation a, d'emblée, retenu l'attention de nombreux pédopsychiâtres. Ekstein et Wallenstein (21-1954) vont parler des fluctuations des états du moi très labiles au cours d'une même journée. Ils associeront l'atteinte des fonctions du Moi (22-H. Hartmann 1950) à une marge psychotique-borderline global se référant aux phases autistiques et symbiotiques. La fonction de fantaisie a pour eux le rôle de mettre le maximum de distance entre le conflit inconscient et le moi conscient, d'être le compromis qui permet une relation d'allure névrotique en même temps qu'une régression à des modes relationnels plus primitifs.

Sara Kut Rosenfeld et M. P. Sprince (23-1963-1965) rapportent les travaux de leur groupe (9 membres) sur l'entité «bordeline»: la maintenance précaire de l'objet cathecté et le glissement vers l'identification primaire, les troubles dans le développement du Moi en relation à un déficit organique ou un traumatisme, l'anxiété non comme signal mais comme vécu de panique (sentiments primitifs de désintégration), l'arrêt dans l'individuation et la non-accession véritable à l'oedipe et au processus secondaire....

Frijling-Schreuder (24-1969) trouve difficile le diagnostic différentiel entre l'enfant psychotique et «borderline», puis essaie de dégager certaines caractéristiques de ce dernier: grande dépendance envers peu d'objets, traits narcissiques et fétichistes (objet transitionnel ou identification primaire), débordements impulsifs sans agression ouverte, troubles spécifiques d'intégration et d'adaptation, difficultés de l'emploi du discours comme moyen de contact mais besoins énormes en ce dernier sens, pananxiété, idées de grandeur irréalistes avec un sur-moi primitif très dépendant des objets extérieurs.

Du côté français, on peut noter les travaux de Lebovici et Niatkine (25-1955-1956-1969), Misès (26-1968) sur les disharmonies évolutives et les prépsychoses. L'aspect aléatoire d'un diagnostic structural chez les enfants amène ces auteurs à des positions assez nuancées mais toutes centrées sur la démarcation de l'accession au processus secondaire comme clivage nosologique. Ils notent le parallélisme entre l'établissement d'une relation objectale et la position dépressive, situant la prépsychose dans l'échec du processus antidépresseur lié à l'incapacité de l'aménagement objectal authentique (polymorphisme de l'activité du Moi et son inefficacité, focalisation de l'angoisse, conduites d'appétition...) et à l'annihilation du self (la continuité du Soi, selon Winnicot -27-, permettrait d'intégrer les investissements discontinus libres et liés respectivement aux processus primaire et secondaire).

Suite aux travaux de M. Bouvet (28-1967) sur la relation d'objet dite prégénitale (ambivalence fondamentale, distance sujet-objet, absence de nuances émotionnelles), cette notion s'actualise. Delforge et collaborateurs (29-1972) à leur centre de Charleroi (Belgique) dénombrent 82 personnalités prégénitales chez des enfants (59) et adolescents (29) en référence à l'absence de triangulation génitalisée. Ils les subdivisent en immatures simples (2 / 3) et abandonniques (1 / 3), ces derniers étant caractérisés par un faux self. En plus des critères précédents, notons la présence fréquente de sentiments dépressifs ; angoisse et agressivité mal maîtrisées ; narcissisme primaire ou secondaire de retrait; la médiation fantasmatique est peu développée, les thèmes, quand ils sont présents, sont ludiques, anxieux ou compensateurs; l'adaptation est difficile, les défenses archaïques et le moi faible.

Un autre apport nous vient de certaines recherches faites quelques années après la première consultation. Dans l'étude du devenir des cas sévères (névroses graves à psychoses) où l'on situe le plus souvent la pathologie frontière, notons la publication de Cahn et collaborateurs (30-1959) sur 480 cas dont, huit à douze ans plus tard, 2 / 3 des cas sérieux le sont demeurés ou se sont aggravés. Amado (31-1967) reprend cette étude pour vérifier le devenir de 55 cas sévères. Malgré le traitement, il y a stagnation dans une proportion aussi manifeste. À une exception près, il note en plus l'absence du fait dit de la «crise d'adolescence». Notons à ce sujet l'article de J. Zellermayer et J. Marcus (47) sur les adolescents des kibboutzs en Israël où ils ne retrouvent pas non plus cette crise.

L.N. Robins (32-1966) retrace l'évolution de 524 sujets après trente ans en relation avec des comportements anti-sociaux dans l'enfance : 16% sont relativement sains en regard de 52% pour un groupe témoin. Rappelons les deux cas de personnalité «as if» revus trente ans plus tard par Helen Deutsch (12) et qui, bien adaptés, gardaient la même structure. M.F. Castarède (33-1972) rapporte 9 observations de cas longtemps suivis dont plusieurs (5) d'organisations mixtes avec des possibilités thérapeutiques mais aussi des dangers d'évolution vers la psychopathie et la dépression. Le groupe de Charleroi (82 personnalités prégénitales) rapporte que, 2 à 6 ans plus tard, l'ensemble des cas a maintenu l'infantilisme et l'immaturité avec un fort pourcentage de morosité (P. Male 34) dans l'adolescence. Huit enfants ont évolué vers la psychose (surtout les abandonniques dont 2 mélancolies) et douze ont présenté des problèmes caractériels avec acting-out fréquents.

TABLEAU CLINIQUE

En 1971, J.F. Masterson (35) fait un résumé de la littérature sur le syndrome borderline en regard des adolescents. J.G. Gunderson et M.T. Singer (36) exécutent en 1975 un travail analogue dans une perspective plus globale au niveau de l'adulte. Il en ressort un tableau clinique plus ou moins conçu selon des normes identiques.

La personnalité borderline frappe par son adaptation superficielle à l'entourage et sa désorganisation facile quand ce support lui fait défaut. La famille présente souvent les mêmes particularités, comme s'il y avait une transmission par le milieu du syndrome. La norme de dépendance y est forte, la discipline plus ou moins incohérente, les expériences d'abandon fréquentes.

Les affects sont peu exprimés sauf la colère. L'anxiété y est plus ou moins diffuse avec des plaintes fréquentes légèrement somatiques. L'humeur dépressive ressort à la longue et se montre très atypique : pas de culpabilité, sentiments de vide (anhedonia), peu de capacités au plaisir. Le comportement se caractérise par des acting-out inconséquents, plus ou moins autodestructeurs.

Il y a parfois de brefs éclats psychotiques (genre dépersonnalisation, craintes paranoïdes) mais avec une résistance surprenante à la vraie décompensation. Le MOI est faible, la relation pauvre, sa menée intentionnelle dépendente et manipulatrice. Les tests psychologiques donnent le même pattern : structurés (WAIS), ils semblent normaux ; déstructurés (RORSCHACH), les réponses sont bizarres, déréelles, illogiques ou primitives.

En ce qui regarde l'enfance, avant la puberté, nous n'avons pas retrouvé de telles synthèses des opinions. Les auteurs déjà cités (réf. évolution du concept) semblent aller dans un sens similaire. C'est la faiblesse du MOI avec une intolérance notable aux frustrations, l'importance de l'agir, l'anxiété majeure et le besoin de distance, les difficultés de fonctionnement et d'adaptation.

L'apport particulier, c'est le rôle à ce moment d'une fantaisie défensive ou compensatrice, la relation à un déficit organique ou traumatique au niveau développemental, l'insistance sur l'inaccession à la génitalisation et au processus secondaire, la nuance à l'égard des positions trop structuralistes pour cet âge, le vécu plus intense de la problématique séparation-individuation, l'optimisme relatif thérapeutique en regard d'une optique plus interventionniste.

Nous aborderons ici à titre descriptif trois exemples de borderline chez l'adulte pour illustrer le tableau que Masterson et Gunderson / Singer ont synthétisé. Nous apporterons six autres cas en «Infantile» à la fin de ce travail qui seront étudiés dans la problématique de la séparation-individuation.

Philippe, un état-limite typique

Philippe est un jeune homme de 19 ans. Il consulte pour légers malaises somatiques, puis pour perte du goût de vivre. Son discours est difficile, laborieux. Il raconte un passé de toxicomanie (2 ans), des éléments de dépersonnalisation, de vagues craintes paranoïdes (se faire attaquer au coin des ruelles). Il se dit déprimé mais ne sait pourquoi. Le seul souvenir qui le touche: les couleurs plus vives et plus gaies de son enfance. Malgré un Q.I. brillant, il a peu réussi en classe. Il n'a jamais accepté de porter des 'verres' qui auraient corrigé un défaut de convergence et facilité son apprentissage. Il a été placé chez une fermière à l'âge de huit ans (dépression de la mère durant quelques mois). Il croyait à un rêve, à des lapins et il n'a trouvé que des rats. Il s'imagine avoir eu une pneumonie à l'âge de 4 ou 5 mois parce qu'on l'aurait laissé exposé à un courant d'air (maladie niée par la mère).

Depuis quelques temps, lorsqu'il fait un effort, il devient blanc comme un drap avec de grosses sueurs. Il a peu d'amis. Il présente des difficultés de concentration et de rétention. Il raconte un rêve où il a la tête ensevelie (comme une autruche) puis le corps. Il s'inquiète de son cerveau. Il prend un soin extrême de son apparence. Philippe est le préféré de sa mère qui l'a toujours couvé. Le milieu est difficile. Plusieurs membres de la famille sont déjà venus en traitement. Le père est alcoolique et le demeure. La mère aurait des traits caractériels. Une sœur aînée a été suivie pour tentative de suicide, une autre est en thérapie depuis deux ans. Philippe n'a pas une notion exacte de son milieu. Il y a chez lui une légère distorsion dans l'appréciation de la réalité...

Trois ans plus tard, il présente toujours le même tableau. Il n'y a jamais eu de vraie décompensation. Sa dépendance et son narcissisme restent hypertrophiés. Sa sexualité n'est pas problématique. Il se sent vide, a perdu le goût du plaisir. Il a fait deux à trois acting-out légers mais n'a pas repris de drogue.

Léonard, un caractère narcissique (à la limite du non-objet)

Léonard est un jeune homme de 21 ans qui se présente pour anxiété diffuse, sensations de mort, impression de devenir fou. Les éléments somatiques fonctionnels sont importants: palpitations, spasmes d'estomac, sudation profuse... . Il a depuis trois ans des expériences homosexuelles et c'est suite à une rupture qu'il vient consulter. L'histoire évoque l'absence du père et sa déchéance, une mère surprotectrice avec un vécu de promiscuité. Il a développé une énorme agressivité à son égard (désir de la tuer) mais ne peut la quitter. Sa tolérance à la frustration est faible et l'utilisation de défenses projectives facile.

Il développe une relation à base d'anaclitisme. Il a peu d'amis, montre beaucoup d'instabilité au travail où il fait des acting-out régulièrement. Plus que le déni du sexe féminin, c'est le déni du narcissisme de l'Autre qui le caractérise. Son discours est axé sur «SOI» et n'est jamais en terme de relation. Il n'arrive que difficilement à la conception de se raconter pour être saisi. Il se vit de façon fusionnelle, dans une passivité où s'inscriront ses moments dépressifs. Son affect est alors vécu dans un spleen de morosité où réapparaissent les plaintes somatiques en relation à une angoisse de mort, celle qui est liée au 'respir' et qu'il manifestait déjà à l'âge de trois ou quatre mois, moment où il a commencé à partager la chambre de sa mère pour plusieurs années.

Suite à trois ans de contacts thérapeutiques, Léonard a pu quitter sa famille, être plus stable au travail (1 an), atteindre à la bisexualité apparente, se faire quelques amis. Il est plus adapté mais conserve la même structure de caractère. Son discours est identique. Il a appris à intégrer un peu l'autre dans son narcissisme.

Richard, un deuil inaccessible (à la limite de l'objet)

Richard a 26 ans lorsqu'il se tire une balle de carabine dans l'abdomen. Il est le cadet d'une famille de 9 enfants. Il avait 13 ans à la mort de son père, 18 ans à celle de sa mère. Il travaille de façon régulière de 17 à 24 ans. Il quitte alors son emploi, vit d'expédients, se fait entretenir, le tout en même temps qu'il laisse sa famille (2 sœurs) pour aller avec des amis. Il montre une grande rigidité dans sa personnalité et en même temps peu de tolérance à la frustration. Ça éveille en lui une thématique projective en un système agressif, revendicateur. Son Idéal du Moi est excessif, absolu. Son besoin de dépendance est énorme et il ne se le pardonne pas. Il ne se permet pas de s'investir soi-même et ne se reconstruit qu'à travers un Autre (personne ou groupe) dans une étreinte desséchante qui le laisse vide à la fin. Il a plusieurs amis mais à distance et sans véritable intimité. Ses accès dépressifs sont liés à un malaise qu'il développe en présence des gens. Il se sent alors annihilé. Sa vie fantasmatique est relativement pauvre. Il réalise sa tentative de suicide dans cette peur d'être, son désenchantement à trouver un sens à ce qu'il vit.

En thérapie, il se laissera d'abord aller dans une énorme passivité puis, peu à peu, il se cadrera avec des traits obsessionnels, se permettra de petits vécus affectifs, s'investira lui-même difficilement et reprendra (1 an) le travail dans une reconstruction progressive d'un univers, assoiffé d'une relation d'absolu mais se satisfaisant quand même présentement d'une certaine relativité.

HYPOTHÈSES ÉTIOPATHOGÉNIQUES

Quand on suit la pensée de la plupart de ces auteurs, il nous semble se dégager une constante qui est celle d'un arrêt ou d'un blocage à un moment constitutif de la première enfance. Plus encore, que ce soit la pathologie du Moi, une phase de séparation-individuation inadéquate ou une triangulation non génitalisée, on se situe toujours entre l'embryon d'un Moi se constituant et une non-accession à l'Oedipe véritable.

Une de ces hypothèses veut que le moi se définisse par ses fonctions, que leur développement précaire ou insuffisant soit signe de pauvreté génétique, de carence en énergie pour le développement du MOI (libido autonome). Les fonctions ainsi appauvries expliquent bien de multiples difficultés auxquelles le borderline se confronte: adaptation précaire, intolérance aux frustrations, distance relationnelle, utilisation de défenses plus archaïques, échec à sublimer les pulsions....

Ces faiblesses du Moi sont aussi conçues comme la conséquence d'un Moi libidinalisé où l'indice de projection est disproportionné avec les introjects positifs possibles (images négatives trop importantes même si non majeures). Un tel aménagement peut plus ou moins se stabiliser face aux difficultés inhérentes au développement et rendre difficile au narcissisme du sujet de nouvelles acquisitions (entre autres relationnelles).

Une conception intéressante est celle d'une approche phénoménologique que l'on peut concevoir à partir de données comportementales: les expériences behavioristes, l'éthologie avec Lorenz (37) et Harlow (38), l'attachement selon Bowlby (39), la continuité du soi de Winnicot (27), la psychologie de la forme de Kohler (40) et les théoriciens de la gestalt (41), l'approche existentielle (Binswanger 42), etc... Nous reprendrons certains de ces concepts dans une formulation plus détaillée lors de l'exposé de notre hypothèse métapsychologique plus loin. Mentionnons pour l'instant la réparation antidépressive qui ne peut s'actualiser que par une cicatrisation de l'être, le borderline vécu comme une maladie du narcissisme en butte à sa non-consistance existentielle.

Une telle appréhension permet de considérer la phase de séparation-individuation comme inaccessible, le maintien de mesures défensives antérieures à ce niveau et la rigidité d'un Moi en négation continuelle, grotesque gnome d'un développement inachevé. Une autre hypothèse analogue à cette sidération est celle du handicap, du traumatisme ou de l'interdit à une maturation plus développée. L'organicité ou la disharmonie peuvent, par exemple, sur le plan cognitif ou relationnel, inférioriser le sujet en regard de son développement et le placer dans une position facilitée de régression.

Dans le même sens, un arrêt peut être provoqué par un traumatisme affectif véritable ou un interdit relationnel à toute issue individuée. Mentionnons les dyades mère-enfant anaclitiques, les milieux où une telle stase serait une réalité voire une normalité. C'est un fait culturel que des populations ou civilisations vivent une telle norme. Notons la dialectique chinoise de la collectivité (44), L'«amae» de dépendance positive des Japonais (45-46), l'aspect communautaire des kibboutzs en Israël (47), le nirvana bouddhiste...

À cet égard, une hypothèse à considérer est cette conception de la continuité des idéaux du Moi qui est assuré dans l'individuation par le Sur-Moi œdipien et dans l'anaclitisme par la cohérence d'une dialectique culturelle donnée. La pathologie «marginale» dans notre société, pour une part, pourrait alors être conçue comme l'incapacité du milieu à créer une continuité au niveau des idéaux autres que celui génitalisé. Il existerait une normalité dite borderline et une maladie située au même niveau. Notre conception individuée à la limite pourrait alors être vécue comme déséquilibrée par d'autres civilisations.

Enfin, une dernière hypothèse est celle du déficit dans le processus de symbolisation. Qu'on en chercher l'étiologie au niveau organique, celui de la phase transitionnelle, psychodynamique, traumatique..., une telle carence serait susceptible d'avoir un rôle majeur dans une stase développementale ou au niveau de formations réactionnelles compensatrices. L'atrophie de cet aspect structural du moi ou sa dysfonction empêcheraient l'omnipotence narcissique de se conserver intact (blessure fondamentale) dans l'utilisation de la mentalisation pour son adaptation à la réalité, l'accession à la distance symbolique et à sa manipulation se révélant le coussin nécessaire à la réalisation de cette illusion adaptée (43-Widlocher 1969).

UNE CONCEPTION MÉTAPSYCHOLOGIQUE

Quand on parle de pathologie frontière de façon plus générale, on est frappé par les diverses catégories que chacun finit par y amener (48-49-50-51): borderline, psychosomatique, débilité, caractériels, psychopathes... À première vue, certaines différences nous apparaissent notables et pourtant, à la réflexion, nous leur retrouvons des points communs: la prédominance de l'agir comme axe d'expression, la faiblesse d'un Sur-Moi intégrateur car trop rigide ou trop poreux (de son aspect schématique-51- à son absence génétique), le vécu de temporalité qui se focalise dans l'actuel, la difficulté de la référence à l'Autre comme ayant son existence propre (d'un narcissisme outrancier à la réduplication pseudoprojective-51-), l'absence la plus fréquente d'une vie fantasmatique fonctionnelle, médiatisante, la présence d'un affect sous-jacent dépressif, atypique, sans perte évidente (de l'anhédonia à la dépression sans objet -49-).

L'ensemble de ces manifestations nous parait d'un ordre existentiel au sens phénoménologique du terme, une situation à travers le réel qui se sustente par son schème et non par sa cohérence; comme si l'on pouvait s'actualiser dans une consistance quelconque sans que celle-ci soit nécessairement mentalisée de façon strictement psychodynamique (énergétique évolutive structurante). Cette optique n'est pas originale et s'axe sur le dualisme de la forme et l'essence mais elle nous parait avoir une certaine richesse dans la compréhension des états frontières et permet d'ouvrir ou de confirmer certaines perspectives thérapeutiques.

Le terme «forme» dans ce travail s'appliquera au potentiel génétique d'un individu, ses inhérences développementales et sa situation au milieu (en réciprocité). Le concept «illusoire» fera référence à la mentalisation, à la naissance au symbolisme et, de façon plus générale, à la conception libidinale dynamique de la structuration du Moi en relation avec l'objet. La «gestalt» sera le résultat de intégration mutuelle de ces deux facettes. Le schème est la représentation intermédiaire entre la perception et le concept, la sensation saisie et l'objet signifiant.

La base de toute sensation et / ou sentiment d'être nous semble reposer sur un fait de continuité à la fois dans la prise de conscience et dans son substratum. La préoccupation maternelle primaire (Winnicot-27) ou les soins de l'environnement de même que le vécu corporel sont les bases de la continuité de la forme sur laquelle s'étayeront les sensations et l'érotisme primaire. Le plaisir qui se lie au schème (imago du «bon sein» de M. Klein -52-) nous semble la base d'une libido d'attachement (anaclitisme de R. Spitz-53, attachement de Bowlby J. -39-, symbiose de M. Mahler -20-) qui s'incruste d'une façon particulièrement liée à la forme du fait de son indifférentiation même. Son imprégnation est à valence nécessairement positive en fonction d'une loi du tout ou rien, donc de rigidité d'une libido qui ne pourra s'étayer d'elle-même qu'en fonction de la gestalt et non d'un objet plus précis ou individué. Elle appartient à l'ordre des ensembles.

Le déplacement dans la continuité du plaisir d'un schème à un autre (de l'imago à l'objet transitionnel -27-) serait la base de la naissance de l'illusoire, l'embryon génétique de la mentalisation et de la symbolisation d'une libido un peu plus libre, vu son origine au sein d'un décalage, d'une association dynamique. Cette libido mobile suivra plus facilement l'évolution pulsionnelle et prendra son sens dans cette continuité progressive où la capacité illusoire se définira dans sa trajectoire de la cathexis objectale : le tout se façonnant au sein d'une gestalt globale de réciprocité amenuisant et humanisant l'inertie et la fixité de la libido adhérente à la forme.

La pathologie psychiatrique classique se déterminerait en fonction d'une prévalence de l'illusoire. La prolifération de cette instance de façon déstructurée dans la psychose ne peut se concilier à aucune forme : discontinuité de cette dernière à l'origine et consécutive à la facilitation excessive de l'illusion dissociée. La structure névrotique serait en relation avec l'évolution harmonieuse de la gestalt dont le cheminement à travers un Moi mentalisé parvient à une indidivuation adaptée à la cohérence de la libido génitalisée à son terme. La névrose serait l'issue téléologique d'un déséquilibre mineur dans le parcours de la structuration de l'illusoire.

La pathologie frontière se manifesterait par un vécu phénoménologique prédominant en regard d'une libido pulsionnelle mal intégrée dans sa cohérence ou court-circuitée dans son expression problématique. La débilité serait liée à une incapacité de l'accession à l'illusoire dans une forme-gestalt appauvrie, sustentée dans sa viabilité relative par la possibilité d'actualisation au schème et à une libido anaclitique.

Le fait psychosomatique se référerait à une dysfonction localisée dans la forme qui, à ce point donnée, est particulièrement imprégnée d'une libido d'attachement. L'accident en est un de mort car il remet en question cette dernière qu'est axée sur une loi du tout ou rien. Cette perte fondamentale, existentielle, est nécessairement en rapport avec le développement de l'illusoire, soit de façon étiologique (avatars du développement pulsionnel allant jusqu'à l'individuation alors non conceptualisable), soit de façon représentée et conséquemment à même d'un retour continuel à cette angoisse de mort trop vécue de façon actualisante. L'issue en est une de sidération de cette part de l'illusoire problématique au moins dans sa relativité destructrice.

Le caractère serait l'arrêt à un stade ou l'autre de l'illusoire qui réussit à s'équilibrer en se stabilisant à ce niveau par l'investissement du vécu phénoménologique. La forme issue d'une continuité suffisante permet le maintien existentiel et l'harmonise ou non à une gestalt plus vaste qui englobe la réalité et l'environnement. À l'extrême, la psychopathie serait l'issue non adaptée en relation à une forme distordue, à la déviance en regard d'une libido globale pauvrement vécue à tous les niveaux.

Nous situerions le vécu borderline sur l'axe dit de la rencontre entre le Soi phénoménologique et le Moi psychodynamique dans la perspective de l'individuation en fonction des normes de la dernière instance, soit la génitalisation. La carence ou l'investissement excessif de la libido d'attachement irait à l'encontre de cette capacité d'être et serait l'amorce génétique d'un cheminement caractériel de déviance ou d'immaturité. En vertu de la réciprocité interactionnelle des deux modalités de libido, la pauvreté dans l'attachement infère en soi la carence libidinale de l'ensemble, l'excès limitant la capacité dynamique dans son émancipation d'autonomie cohérente.

De même façon, le handicap, le traumatisme ou l'interdit se situant à ce point de jonction pourraient avoir comme effet de provoquer une stase de la maturation, un aménagement d'états limites (Bergeret J. -54-) dont l'évolution ultérieure pourrait être fort variable: vécu œdipien absent ou strictement apparent, latence se prolongeant de façon tardive avec absence ou retard de la crise d'adolescence, cicatrisation en des formes caractérielles ou perverses, nouveau traumatisme ultérieur ou analogue qui favorise la reprise de la maturation ou, au contraire, son échec.

La fragilité de l'objet cathecté et sa non-différentiation véritable chez le marginal ne permet que peu la dépression envisagée sous l'angle de la perte d'objet ou de son vécu dynamique. La libido d'attachement reste l'axe prévalent auquel il s'accroche et qui est part d'un plus grand désir d'investissement. L'échec du Soi phénoménologique correspondrait à la dépression existentielle. La pauvreté dynamique qui n'arrive pas à la relation à l'objet et à l'individuation laisse le Soi dans son adhérence au schème et à sa libido anaclitique rigide et sans issue. La capacité illusoire minimale, ne fut-ce que dans sa facette cognitive, devient le constat de l'infériorisation en relation à la valeur culturelle du ou de notre milieu. L'absolutisme lié à la libido d'attachement et les idéaux qui s'en dégagent et qui sont mal aménagés dans l'environnement ne laissent le choix qu'à la cicatrisation par ellipse d'un illusoire plus évolué (caractère, psychosomatique...) ou qu'à l'annihilation simple (débilité, suicide...).

Une recherche de B.J. McConville (55-1975) sur la dépression chez les enfants rapporte 73 cas qu'il classifie en dépression cognitive et affective de même qu'en relation à leur phase de développement ; la première se situant au milieu de la latence, la seconde aux extrémités. 85% des cas avaient des indices d'estime de soi négatifs (dépression dite cognitive) et la grande majorité de l'échantillon portait sur des enfants en placement ou avec des problèmes de séparation majeure. Les quelques cas dits de dépression réactionnelle (stress aigü) se situaient plus à la fin de la latence et comprenaient un indice de culpabilité. L'échantillonnage majoritaire des cas en relation à une problématique de séparation longue, la situation au cœur même de la latence, l'aspect cognitif prévalent, l'absence de culpabilité, la réussite faible de la relation thérapeutique, le tout oriente vers et en même temps décrirait l'expression à ce niveau de la dépression existentielle.

ILLUSTRATIONS CLINIQUES

Notre hypothèse de travail nous amène à définir la pathologie borderline en relation avec l'attachement et à la problématique de l'individuation, deux instances majeures et d'une acuité particulière dans le développement. M. Mahler (20) a décrit une période de séparation-individuation entre 1½ et 3 ans. H. Deutsch (12) considère la pré-puberté comme une phase analogue, phase de recrudescence de cette première lutte préœdipienne pour l'autonomie. C'est aussi une réalité clinique que de retrouver des reliquats non résolus de ce fait à travers de multiples pathologies et à tous les âges. C'est même une indication intéressante de thérapie brève en infantile quand on la retrouve chez un enfant à fort potentiel névrotique (structure). Plus encore, l'attachement dans nos concepts traditionnels demeure un postulat de base de normalité tandis qu'une individuation moins prononcée peut être un critère analogue en d'autres cultures. Nous apporterons dans ce chapitre certains exemples cliniques de vicissitudes retrouvées en regard de ces deux phénomènes.

Martin est un garçon de 3½ ans que la mère amène en consultation pour retard de langage. L'évaluation psychiatrique montre l'absence du contact œil-œil, l'incapacité de se voir dans le miroir, des gestes stéréotypés, le refus de toute relation, un seuil de frustration très bas avec panique, lyrisme excessif ou exagérée et auto-mutilation. La mère est très déprimée, en relation passive et d'automatisme avec l'enfant. Une première phase de thérapie axée sur le traitement de la dépression de la mère et sa capacité à investir l'enfant (renforcement de l'attachement) amène la disparition de la plupart des signes d'apparence autiste et montre une dyade très anaclitique. Une seconde phase de thérapie (en cours) suit le développement de cette relation et vise à l'amorce progressive d'une séparation viable.

Chantal est une fillette de 4½ ans, enfant non désirée de parents alcooliques, jouet interactionnel d'une ambivalence énorme. Son histoire est faite de placements brefs et de retours au foyer. Elle présente un retard de développement (moteur, langage...) lié à une carence de stimulation. Son existence n'est reconnue que dans les «emmerdements» qu'elle crée. Son opposition lui vaut un peu d'attention. Chantal va vers n'importe qui, est toujours souriante. Elle tolère la frustration dans l'évitement et la négation et passe comme si de rien n'était à une autre activité. En groupe, elle voltige en périphérie et se calque un instant sur le comportement de l'un, un moment sur le jeu de l'autre. Ce n'est que dans une relation de continuité en individuel qu'elle aura peu à peu accès au symbolique (de façon fort précaire). Elle évoque la personnalité «as if», le faux self, le manque de consistance fondamentale. Son «étant» est imprégné d'une gestalt qui lui interdit un «être à soi».

Tommy est un garçon de 8 ans que la mère amène en consultation pour troubles de comportement, incapacité de socialiser à l'école et agressivité à la maison. Madame situe le problème depuis la mort d'une sœur cadette, bessonne, dont il s'était attribué la paternité (pour lui permettre, dit-elle, d'accepter la naissance des jumelles). Madame a des relations très insatisfaisantes avec son mari alcoolique, violent, et a investi énormément les enfants, dont Tommy l'aîné. À l'examen, l'enfant met énormément de distance, développe beaucoup d'énergie au contrôle de la situation, a de la difficulté à suivre les règles du jeu. Ce qui frappe, c'est l'importance de ses fantaisies qui ont une saveur d'irréalité presque délirante. Le contact sur ce mode se fait pourtant bien et l'appel à l'aide est très net. L'attachement est ici surinvesti dans une relation avec un illusoire traumatisé par l'absence de médiation triangulaire. L'échec à l'omnipotence sera vécu de façon directe, la prolifération de l'illusoire, compensatrice, mais en même temps rappel du cheminement sans issue. La cicatrisation de caractère semble le pronostic probable comme seule survie d'une continuité établie (adhérente à la forme) et qui ne peut avoir de sens au niveau dynamique.

Luc est un garçon de 8 ans qui a passé les deux premières années de sa vie à la Crèche et qui est en foyer nourricier depuis ce temps. La consultation vient en fait de l'école qui ne s'explique pas son échec scolaire et ses troubles de comportement. La motivation de la famille est faible, même négative de la part de la mère nourricière. Luc n'établit pas de vraie relation. Il est comme il pense qu'on veut qu'il soit. La moindre intervention lui fait changer ses idées même face au paradoxe. Il n'a pas d'amis. Ses acting-out sont inconséquents (part avec le ballon en plein milieu du jeu). Il est fuyant, manipulateur (... et manipulé). Sa fantaisie est pauvre, décharnée. Il a développé une relation particulière avec la mère actuelle, relation faite de permissivité, promiscuité, extériorisation en acting-out (servant à s'isoler avec elle contre le reste de la famille). La mère a une histoire passée de relation incestueuse avec son père et l'hypothèse de la répétition du vécu au niveau du désir à l'égard de cet enfant (pas à elle) situe bien la problématique où l'on retrouve ce dernier. Son existence ne prend forme que dans le besoin de l'autre érigé en conflit et le prix de l'attachement, c'est la négation d'un soi illusoire dont l'amorce d'être mettrait en péril (ambivalence pulsionnelle) la gestalt de l'étant.

L'anorexie nerveuse constitue une pathologie particulière où la séparation-individuation joue un rôle de premier plan. L'attachement famille-enfant est massif et l'accession au plaisir génitalisé prescrit dans toute sa mesure conflictuelle.

Lyne est une jeune fille de 10 ans qui, suite à un régime, n'arrive plus à manger. Son amaigrissement est extrême. Elle est hyperactive, n'a en fait pas conscience de sa maigreur. Sa pensée est vide, ses affects inaccessibles. La famille est atterrée. Il faut plusieurs entrevues pour percer la normalisation de façade. Puis, peu à peu, ressortent l'insécurité du père, la frustration de la mère en regard du plaisir, l'inquiétude des deux parents face à la croissance de Lyne. On nous rapporte l'énorme difficulté de séparation de cette dernière qui, même à 6-7 ans, s'accrochait à la robe de la mère quand cette dernière allait porter les vidanges au chemin.

Michel est un adolescent de 16 ans avec une histoire similaire d'anorexie, dont le début est concomittant à une hystérectomie chez la mère. La relation individuelle est pauvre, à distance, manipulée en relation avec la nourriture. La personnalité est rigide, de forme obsessionnelle. La famille est très unie, très chaude. Tout le quotidien se fait ensemble: le ménage, le marché, les divertissements. La sœur cadette, Louise, est en tous points un caractère opposé à celui de son frère. Elle est vive, spontanée, superficielle, sans tracasseries. La reprise de poids se fera en deux étapes, l'une progressive dans un lent processus de séparation en thérapie, l'autre rapide en contiguïté à un léger traumatisme chez sa sœur qui fut suivi depuis le début de ses menstruations (Louise).

Rappelons que de façon générale l'anorexie se produit chez les adolescentes et est contemporaine d'une aménorrhée souvent plus tenace que la reprise de poids. Ici, ce qui frappe, c'est le rapport en ce sens mais entre les deux adolescents. L'approche familiale en ces cas permet d'appréhender un vécu de forme circulant entre tous. Sa viabilité est précaire car non intégratrice de l'accession au plaisir, lequel est quand même valorisé par son existence conflictuelle chez les parents. L'attachement imprégné de la forme est en fait, dès le départ, piégé et son deuil, relatif à son incohérence, un vécu de mort.

APPROCHES THÉRAPEUTIQUES

De façon générale, la thérapie des états limites a, à la longue, donné naissance à une technique particulière dans la conception des thérapeutes d'orientation analytique. Pour M. Schmideberg (14), elle se fait dans un face à face au sein d'une atmosphère de spontanéité contrôlée. «Elle doit être sélective, directive, avec accent sur le Moi et la réalité». V.W. Eisenstein (56) insiste sur l'établissement de la relation dans un contact affectif chaleureux, de support. Masterson (35) conçoit une phase initiale le plus souvent non verbale, où l'agir est le mode de vécu relationnel par lequel la thérapie doit d'abord viser au contrôle de l'acting-out.

Pour L. et A. Wolberg (57-58), l'essentiel de l'action thérapeutique se centre sur le renforcement du Moi faible. Ils décrivent trois techniques: l'utilisation de l'autre (exploration de la projection sans l'interpréter), l'étude d'un comportement (prudente recherche phénoménologique dans une relation à la réalité), la construction positive du Moi (renforcement des réussites). Eisenstein (56) insiste sur la consolidation des défenses névrotiques, l'orientation vers la réalité et le refus de l'analyse des rêves ou de la fantasmatique (interprétation comme peur ou retrait). Masterson (35) aborde l'essentiel de l'élaboration thérapeutique à partir de la capacité à un seuil dépressif et au rappel des épisodes de séparation et d'abandon. On accède à l'interprétation verbale, à l'analyse des résistances (retrait, déni...) hors du cadre du passage à l'acte. On renforce le Moi à l'aide d'introjections positives et en regard d'une valorisation importante de l'expression verbale.

S.K. Rosenfeld et M.P. Sprince (23) valorisent l'emploi d'un Moi 'supportif' à l'égard des enfants borderline: nécessité du substitut pour décharger les tensions, facilitation d'une bonne expérience régressive pour faire revivre le traumatisme déstructurant initial. Elles insistent sur la lecture du comportement comme une forme de communication, le «timing» des interprétations qui doit suivre la progression du Moi renforce, le vécu de l'agressivité dans la relation où le thérapeute interviendra et protégera le patient contre lui-même en ne manquant pas de lui refléter ce fait. Ekstein et Wallenstein (21), Chetnik et Fast (59) conçoivent le vécu de fantaisie de l'enfant comme l'abord de contact par lequel la relation s'établit. Il ne faut pas s'opposer à la fantaisie mais faire transition, comprendre les peurs et l'anxiété et en faire l'interprétation au moment où l'enfant est en mesure de comprendre sans le précipiter dans le monde du déplaisir.

L'infantile est le lieu assez privilégié où l'on a forgé de multiples apports parallèles pour aider le développement chez les enfants. Ces techniques ont pu être utilisées avec assez d'appoint dans les états marginaux. La constitution de l'équipe multidisciplinaire a favorisé les co-thérapies et l'abord plus facile d'un processus de triangulation. L'importance de la famille à ces âges a contribué au développement d'une approche, d'une aide ou d'une thérapie en regard de ce niveau interactionnel primordial. La problématique des apprentissages multiples a situé le lieu d'une intervention en groupe en plus d'une aide sélective face aux besoins de chacun (psychomotricité, orthopédagogie,...).

Les difficultés comportementales, l'irresponsabilité de certaines familles et l'immaturité de ces âges ont suscité des prises en charge et ont nécessité la création d'internat de rééducation où une action thérapeutique plus intensive peut se poursuivre (60-Lemay 1974): maîtrise du corps sans compétition, stabilité dans le temps et l'espace, revalorisation individuelle dosée dans les activités, entretien immédiat face aux troubles de comportements, sécurisation, prises progressives de responsabilité... . Enfin, l'étape de crise au niveau de l'adolescence a justifié l'essor de clinique ouverte d'un type particulier où un vécu de marginalité est plus toléré, donc plus empathique à la communication et au contact relationnel positif.

CONCLUSION

Au cours de ce travail, nous avons scruté les différentes opinions des auteurs sur la pathologie borderline. Il en est ressorti un certain consensus sur le tableau clinique dont l'étiologie probable a pu être ramenée à un arrêt ou blocage dans le développement de trois entités: le Moi, la séparation-individuation, le processus de symbolisation.

Il nous a semblé que l'axe d'éclosion du problème se situait au point névralgique de la séparation-individuation, processus qui se poursuit tout au cours de l'enfance et au point problématique dont on peut retrouver les reliquats à tous les âges et dans beaucoup de personnalités. La caractéristique borderline, c'est l'incapacité même de la maturation d'un Moi psychodynamique à ce niveau et son repli existentiel sur un Soi phénoménologique basé sur la continuité de la forme.

La recherche génétique nous a conduit à la constatation de l'existence d'une gestalt qui assure la continuité des soins autour de l'enfant et à travers laquelle il va d'abord saisir les premières imagos positives, empreintes schématiques, non objectale, étayant une libido d'attachement qui va s'imprégner d'une façon particulièrement intense à la forme existentielle dans et vu son indifférentiation encore relative. La continuité de cette nouvelle gestalt verra l'éclosion d'une capacité d'association entre les schèmes (phase transitionnelle), la naissance de la possibilité du recours au décalage, à l'intentionnalité symbolique (dont le processus de symbolisation en est l'achèvement téléologique), qui permettra un flux d'analogie entre les imagos positives, puis les relations possibles aux images négatives. L'intégration structurante et équilibrée de ces mentalisations dans leur rapport à l'objet, sous-tendue par la libido pulsionnelle développementale, permettra l'émergence du Moi et son autonomie dans l'individuation.

La pathologie borderline, c'est l'incapacité d'assumer cette étape de façon entière soit en relation avec une évolution génétique perturbée soit avec une nouvelle problématique de cette période développementale qui la bloque (organicité, traumatisme, interdit relationnel ou culturel). La survie de cohérence ne peut alors s'accrocher qu'à un vécu phénoménologique étayé par l'attachement. L'adaptation peut être plus ou moins adéquate à ce niveau et l'une des issues malheureuses en est la dépression dite existentielle.

Nous avons par la suite essayé de situer la nosologie psychiatrique habituelle (psychose et névrose) en regard de cette conception métapsychologique en les situant dans l'axe de l'illusoire ; nous avons également fait un diagnostic différentiel avec d'autres pathologies frontières à prévalence «formelle» que nous avons considérées en rapport à cette optique (débilité, psychosomatique, caractère et psychopathie).

Nous avons apporté trois cas de marginalité chez l'adulte dont la thérapie a amélioré l'adaptation et favorisé une certaine cicatrisation de caractère sans changements structuraux. Pour six patients en «Infantile», nous avons discuté l'impact particulier d'une gestalt existentielle sabotant le processus de séparation-individuation. Puis, nous avons scruté les différentes techniques thérapeutiques qui ont été progressivement façonnées comme modes d'intervention.

Si l'on se réfère à notre conception métapsychologique, cette dernière se concilie à l'ensemble de ces tentatives mais elle permet aussi plus d'acuité sur un choix thérapeutique lié à l'inhérence génétique de la norme structurale en question: l'ordre du schème pour ce qui est du SOI et la dynamique associative à l'égard du MOI. La technique analytique répond bien au dernier terme, l'organisation de la forme et / ou la gestalt du collectif nous apparaissent plus cohérentes au premier. L'entre-deux semble plus aléatoire du fait de sa complexité même mais pourrait, en quelques cas, avoir une certaine assise dans un pattern de continuité, substrat thérapeutique d'attachement de base à une réédification de l'illusoire.

Dans l'optique d'un lieu thérapeutique axé de façon phénoménologique, de nouvelles techniques pourraient être développées, en particulier en puisant dans le vécu des cultures où la norme collective interdit l'individuation génitalisée à outrance. Mentionnons les Maisons Communautaires, la méditation transcendentale, la psychothérapie de Morita (basée sur la philosophie Zen),... .

«Le traitement de Morita ne consiste pas seulement à délivrer le malade de ces états psychologiques mais aussi à réaliser des phénomènes psychiques du SOI et leurs déroulements... Morita a pensé que le problème principal est ce qu'on appelle en termes de Zen, Mayoi ou Toraware. La notion de Mayoi indique un état mental qui se perd dans une voie erronée. La notion de Toraware donne l'idée d'une mentalité d'esclavage par les désirs humains.» (61-Toyohisa Murata). Il consiste en trois étapes: l'isolement (privation de sensations), la conscience de la voie naturelle de vivre (rencontres directives sur écrits du patient), la lourdeur de la tâche (vécu de satisfaction sereine à se dépouiller des désirs et de la souffrance).

Peut-on concilier le Nirvana et le désir, «le signe creux et le signe plein»? Une société pourrait-elle faire cœxister des idéaux aussi antinomiques? Si la libido pulsionnelle est justement l'entrave qui débalance celui que l'on dit «marginal», s'il faut lui assurer, en traitement, une continuité à vie dans la perspective de stations de recharge libidinale (Masterson 35), pourquoi ne pas lui permettre le bien-être de sa structure dans le dépouillement de cette libido et l'investissement dans celle positive d'attachement, ce soi continu phénoménologique lié au schème, vécu en relation aux idéaux plus stricts du collectif?

BIBLIOGRAPHIE

1. **Kraepelin E.** Lehrbuch der Psychiatrie (8è édition) Barth, Leipzig, 1913
2. **Bleuler E.** Dementia praecox or the group of Scizophrenia, I.J.P., 35, No 2, 964-987, 1950
3. **Bleuler M.** The Concept of Schizophrenia, Am. J. Psych., 111, 382, 1954
4. **Clark L.P.** Some practical remarks and use of modified psychoanalysis in the treatment of borderland neuroses and psychoses. Psych. Rev. 6:306-308, 1919
5. **Kretschmer E.** Manuel théorique et oratique de psychologie médicale, Payot, Paris 1927
6. **Glover E.** A psychoanalytical approach to classification of mental disorders, J.M.S. 78: 819-842, 1932
7. **Zilboorg G.** The problem of ambulatory schizophrenia, Am. J. Psych. 113, 519, 1956
8. **Claude H.** Les rapports de l'hystérie avec la schizophrénie, Rapport S.M.P., Ann. Juin 1937
9. **Markovitch P.** Contribution à l'étude des états-limites, Thèse de médecine, Paris 1961
10. **Green A.**
    - Une variante de la position phallique-narcissique, R.F.P. 27, 1963
    - Le narcissisme primaire: structure ou État, L'inconscient, 1 & 3, 127-156, 89-116, 1967
    - La nosographie psychanalytique des psychoses, Problématique / psychose, Excerpta M. 1969
11. **Stern A.** Thérapeutique psychanalytique dans les états-limites, P.Q. 14,2:190-198, 1945b
12. **Deutsch H.**
    - The psychology of women, V. 4, N.Y., Grune et Stratton 1944, 3-23
    - Some Forms of Emotional Disturbances and their Relationship to Schizophrenia, P.Q. 1942, II:301-321
13. **Knight R.P.** Borderline States, N.Y., I.U.P., 97-108, 1954b
14. **Schmideberg M.** The Borderline Patient, A. Handbook of P., Basic Books, 1959, 1:398-418
15. **Bernstein** dans le Syndrome Borderline, Roy & Wolfe, 1969
16. **Modell A.**
    - Primitive object relationships and the pre-disposition to schizophrenia, Int., J.P., 44:282-292, 1963
    - Object love and reality I.U.P., N.Y. 1968
17. **Kernberg O.**
    - Borderline Personality Organisaton, J.A.P., Ass. 15, 1967
    - The treatment of patients with borderline organisation, I.J.P., 49:600-619, 1969
    - A psychoanalytic classification of character pathology, J.A.P., 18, IV:800-822, 1970
18. **Gamm S.** Postgraduate Psychoanalytic Seminar at Chicago P.I., in Grinker R., The Borderline Syndrome, N.Y. Basic Books 13-14, 1968
19. **Grinker R., Werble B. and Dry R.** The Borderline Syndrome, N.Y., Basic Books, 1968
20. **Mahler M.**
    - Autism and Symbiosis, Two Extreme Disturbances of identity, I.J.P., 39:77-83, 1958
    - On Sadness and Grief In Infancy and Childhood P.S. of the C., 16, 1961
    - Thoughts about Development and Individuation P.S. of the C., 18:307-328, 1963
    - On human symbiosis and the vicissitudes of individuation, N.Y., I.U.P., 1968
    - Perturbances of symbiosis and individuation in the development of the psychotic Ego Problématique / Psychose, Axcerpta M. 1969

21. **Ekstein R.** Children of time and space, of action and impulse. Appleton C.C., 1966, ch. 4 & 5

22. **Hartmann H.**
- Comments on the psychoanalytic theory of the Ego in Essays on Ego Psychology, Hogarth 1950
- Ego psychology and the Problem of Adaptation 1939, (London, Imago, 1958)

23. **Kut Rosenfeld S. et Sprince M.P.**
- An attempt to formulate the Measing of the Concept Borderline, P.S. of the Child, 18:603-635, 1963
- Some Thoughts on the Technical Handling of Borderline Children, P.S. of the Child, 20:495-517, 1965

24. **Frijling-** Borderline States in Children, P.S. of the child, 24:307-327, 1969
Schreuder E.C.M.

25. **Diatkine R.**
- Du normal et du pathologique dans l'évolution mentale de l'enfant, Psychiatrie de l'enfant, 10, I:2-42, 1967
- L'enfant prépsychotique, Psychiatrie de l'enfant, 12, II:413-446, 1969

26. **Misès R.**
- Problèmes nosologiques posés par les psychoses de l'enfant. Psychiatrie de l'enfant, 11, II:493-511, 1968

27. **Winnicott D.W.**
- La première année de vie RFP, 477-498, 1962
- The Maturational Processes and the Facilitating Environment, I.U.P., N.Y. 1965
- De la pédiatrie à la psychanalyse (J. Kalm) Payot, Paris 1969

28. **Bouvet M.** Œuvres Psychanalytiques. 2 Vol., Payot, Paris, 436 & 310, 1967

29. **Delforge j., Hayez J.Y. et Vaneck L.** Approche clinique des personnalités prégénitales chez l'enfant et l'adolescent Psych. de l'E., 15, II:399-459, 1972

30. **Cahn R., Capul M. et Cahn-Filachet D.** Le Devenir des Enfants Inadaptés, Sauveg. de l'É., Sept.-Oct. 1961

31. **Amado G.** Le Devenir de 55 cas sévères de Psychiatrie Infantile, P.E. 10, II:465-537, 1967

32. **Robins L.** Deviant Children grown up, Baltimore, W. & W. 1966, 14, 351 p.

33. **Castarède M.F.** L'étude de cas longtemps suivis. P.E. 1972, 15, II:541-608

34. **Male P.** Quelques aspects de la psychopathologie... à l'adolescence. Confrontations psychiatriques. 7:103-124, 1971

35. **Masteson J.F.** Diagnostic et traitement du Syndrome Borderline chez les Adolescents. C.P. 7:125-155, 1971

36. **Gunderson J.G. Singer M.T.** Defining Borderline Patients: An Overview A.J.P. 132: I January 1975

37. **Lorentz K.** Companionship in Bird Life. In C.H. Schiller (ed.), Instinctive Behavior, N.Y. I.U.P, 83-116, 1957

38. **Harlow H.F.** The Nature of Love. A.P. 13:673-685, 1958

39. **Bowlby J.**
- Attachement and Loss. Vol. I, Attachment, London-Hogarth, N.Y., Basic Books, 1969
- Separation Anxiety, I.J.P. 1960, 41:89-113

40. **Köhler W.** Psychologie de la Forme. Idées. N.R.F. 1964

41. **Koffka K.** Principles of Gestalt Psychology 1935

42. **Binswanger L.** Die Ideenflucht, Scheiz, A. N.P. 32:28-30, 1931

43. **Widlöcher D.** Traits Psychotiques et Organisation du MOI, Problématique / psychose, Excerpta M. 1969

44. **Ho David** La Psychologie en Chine. Psychologie. Janvier 1974, 48:63-67

45. **Hirashi Minami** Entretien. Psychologie. Avril 1974, 51:39-43

46. **Chaguiboff J.** La suavité de la dépendance. Psychologie. Avril 1974, 51:33-37

47. **Zellermayer J.** L'adolescence dans les Kibboutzs d'Israël. Conf. Psych. 1971, 7:261-292
Marcus J.

48. **Kreisler L.** Les États Frontières dans la Nosologie. P.E. 10, I:157-198, 1967
Fain M.
Soulé M.

49. **Engel G.L.**
- Psychological Development In Health and Disease. Philadelphia, Saunders 1962
- Anxiety and depression-withdrawal: the primary affects of unpleasure. I.J.P. 1962, 43:89-97
- and Reichsman F. A contribution to the problem of depression. Ann, I.M. 4:428-452, 1956

• and Schmale A.H. Psychoanalytic Theory of Somatic Disorder. J.A.P., 15, 344, 1967

50. Lang J.L.
• Psychoses infantiles à expression déficitaire et arriération-psychose. C.P. 1969, III: 119-140
• Le problème nosologique des relations entre structure psychotique et déficitaire Problématique / Psychose, Excerpta M. 1969
• Esquisse d'un abord structural des états déficitaires. C.P. 1973, 10:31-54

51. De M'Uzan M. L'Investigation Psychosomatique. Paris. P.U.F. 1963, 263
Marty P.
David C.

52. Klein M.
• Developments in Psychoanalysis. Hogarth 1953
• Our Adult World and Other Essays. Heiman 1963

53. Spitz R.
• A Genetic Field Theory of Ego Formation, N.Y., I.U.P., 1959
• The first year of life. N.Y., I.U.P., 1965a

54. Bergeret J.
• Abrégé de Psychologie Pathologique. Masson, 1972
• La Personnalité Normale et Pathologique. Dunod, 1974

55. McConville B.J. La Dépression chez les Enfants et les Adolescents. Cahiers Pédopsychiatriques Ste-Justine 1974, 2:87-118

56. Eisenstein V.W. Differential Psychotherapeutic of Borderline States. Basic Books, N.Y. 1952, 303

57. Wolberg A.R. Borderline Patient. A.J.P. 1952, 6, 694

58. Wolberg L.R. Technique of Psychotherapy. Grune and Stratton, N.Y. 1952, 990

59. Chetnik Fast A function of fantasy

60. Lemay M.
• Le Jeune Caractériel existe-t-il? Ste-J. Cahiers Pédopsychiatriques 1974, I:29-39
• Psychopathologie Juvénile. Fleurus 1973, 2 Vol.

61. Murata T. La Psychiatrie de l'Enfant au Japon. Psych. de l'É., 1972, 15, II:609-613

Autres textes consultés

62. Chiland C. L'enfant de 6 ans et son avenir. P.U.F. 1971

63. Mauffette A. Les frontières de la psychopathologie 1969

64. Roy J.Y.
Wolfe M. Le syndrome Borderline: discussion 1969

65. Mann J. Borderline and prepsychotic syndrome 1969, Problématique / Psychose, Excerpta M.

66. Abelin E.L. The Role of the Father in the Separation-individuation Process

67. Racamier P.C.
• Le Moi, le Soi et la Psychose. Évolution psych. 1963a, 28, IV:525-553
• Esquisse d'une clinique psychanalytique de la paranoia RFP, I: 145-159, 1966

68. Segal H. Introduction à l'Œuvre de Mélanie Klein P.U.F. 1974, 144 p.

69. Bettelheim B. Les Enfants du Rêve • Laffont, Paris 1971

70. Laing R.D.
• Le Moi divisé • Stock 1970, 187 p.
• Soi et les autres • Gallimard 1971, 236 p.

71. Marcuse H. Éros et Civilisation.

72. Luban-Plozza B.
Pöldinger W. Le malade psychosomatique et le médecin praticien. Roche. 1974, 255 p.

Le groupe, réseau socio-affectif

Un vécu qui a influé sur l'ensemble de ce livre a été notre participation à la création d'une clinique psychiatrique pour l'ensemble d'un secteur environnant à l'hôpital Jean-Talon. Au début de 76, l'un de nous produisait un rapport sur cette implantation. Le texte qui suit a été écrit à partir de cette observation.

LE GROUPE SOCIO-AFFECTIF

Ce que nous définissons comme réseau, c'est un groupement humain (famille, groupe, communauté,...), non nécessairement délimité en unités individuelles, qui forme un schème ou une gestalt au sein duquel chaque être est tributaire d'un mouvement fusionnel (très relationnel au corps) et en même temps, partie d'un système interactionnel où sa «conflictuelle» personnelle participe à l'orchestration de l'ensemble. Nous essayerons de cerner la dynamique de cette structure à partir de son mouvement affectif. Nous délimiterons les frontières entre les affects fusionnels (la maternité, une certaine qualification de solidarité, l'expansion du soi...) et les affects individuants ou individués (deuil, affirmation du moi, régulation des contrôles,...). Par ailleurs, nous ne pourrons en saisir le sens qu'en les remplaçant dans un schéma de synthèse que la terminologie dite existentielle permet de mieux appréhender en la situant dans son axe phénoménologique (surtout dans la description ultérieure de cas cliniques). Il n'est pas négligeable de considérer le mécanisme de cooptation dans la constitution du groupe comme symptômatique d'une tendance fusionnelle désirée. L'ambivalence entre le plaisir et la charge trouvera sa résolution dans une mythique originale privilégiant une série de mesures renforçant cette même centration (horaire concentré, globalisation adulte-enfant, investissement thérapeutique versus refus du diagnostic, horizontalité, continuité de traitement et approche communautaire). Il est presque conséquent de retrouver un leadership de type maternel au sein des affects vécus en relation à cette phase créatrice de la clinique qui en est une d'expansion de l'entité ou de la gestalt-groupe (être à soi). Si l'on suit le cheminement des conflits, le premier prend naissance entre le sociologue et l'administrateur et a comme thème «la dynamique de groupe» à laquelle ce dernier se refuse absolument. Il n'est pas sans intérêt de constater cette prise de position (sens de la relation entre administration et groupe de travail sur lequel nous reviendrons dans notre rapport final).

Cette problématique amènera une distanciation entre le pôle affectif du groupe et l'administrateur, un contrôle hypothétique formel de ce dernier et une dynamique au niveau clinique où se récupèrera la cohésion et la constitution du groupe.

Le second conflit mettra en présence les leaders entre eux. Malgré le processus peu autogestionnaire, certains veulent associer le groupe à un mouvement de démission collective. Le projet est d'abord repoussé de 3 semaines puis accepté malgré certaines réticences sous le prétexte d'un affect fusionnel de solidarité. On établit donc un processus de deuil dramatisé par les uns, nié par les autres (importance de cette négation dans le maintien des affects fusionnels). Le tout aboutit à la fin décembre à un ralliement des leaders et à l'évitement de la démission lié au fait de la réponse positive du ministère aux exigences minimales de survie de la clinique.

Cette réalisation possible du projet renforce la tendance fusionnelle, ce qui permettra une réorganisation encore mieux étayée en ce sens. La cohésion affective du groupe facilite un rapprochement avec l'administrateur et laisse apparaître la valorisation d'identités plus individuantes (affirmation du Moi) à la base du troisième conflit : l'analyse en profondeur (forces individuantes) versus l'intervention de réseau (approche communautaire plus fusionnelle). Et c'est en ce sens que le groupe entre peut-être dans une période de maturité où l'équilibre pourra se faire entre les deux forces grâce à une dynamique interne, d'essence psychiatrique, donc axée sur le sens du travail à faire. La régulation des contrôles prendra sa valeur dans l'appréciation de soi-même et non dans la réponse aux autres.

Nous n'analyserons pas ici le système interactionnel individué voulant respecter l'anonymat des «conflictuels» personnels. Notons toutefois qu'à ce niveau, le leader prend souvent un sens de type «paternel» dont la compréhension passe par des dynamiques de structure œdipienne. Par ailleurs, ce vécu nous a sensibilisés à l'importance du mythe dans l'aspect structurel du groupe et, en parallèle, en clinique, au niveau des patients où il semble prendre une grande valeur thérapeutique; la coloration affective dont il est imprégné, croyons-nous, peut donner le sens à l'expérience corrective de la thérapie. Ces diverses expériences nous ont remis en lumière la problématique du passage à l'acte et de sa modulation plus ou moins nécessaire suivant le type de structure mentale et de son impact vitalisant dans la cure (nous entendons par passage à l'acte le revécu personnel, qu'il soit mentalisé ou non, court-circuit ou résistance). Tout l'intérêt de ce concept réside dans l'ouverture à saisir le sens de l'agir et à développer des techniques d'interventions permettant de ne pas en perdre la portée (moyens très médiats sinon simultanés à l'acte, voire antérieurs dans certaines situations appropriées.)

Si l'on resitue le groupe actuel dans un contexte de microsociété, le développement de son réseau ira dans le sens d'une constitution «associationniste» (créer et mettre en place un projet collectif) où l'on observe la présence d'un affect collectif nécessaire et prédominant dans sa phase d'élaboration. La détermination à produire quelque chose de nouveau, de différencié, demande à chacun un investissement affectif pour supporter une certaine marginalisation et vaincre les résistances toujours présentes de l'environnement. De façon paradoxale, et en éternel mouvement de balancier, le projet fusionnel en devient un d'individuation en regard d'un autre ensemble.

Le processus de création collective canalise les affects individués au profit d'un mouvement affectif de groupe, amplifié et transformé (orchestration de l'ensemble à partir des «conflictuels» personnels). Plusieurs choix s'offrent pour contrôler le processus lorsque la peur de la perte d'individuation s'installe. Normaliser le groupe par un clivage hiérarchique où le morcellement en sous-groupe rendra compte des affects fusionnels atténués et où la stratification rassurera sur l'identité. Renforcer les «conflictuels» personnels ou les culpabiliser, ce qui de toute façon tendra à morceler la gestalt au profit des forces individuantes. Intervenir sur la réalité, la «technocratiser» dans une forme où le projet ne peut plus s'inscrire et dont la solution de compromis ambivalente redonne le contrôle effectif aux forces externes, clivantes en cas de crise. Notons l'utilisation du discours comme processus de deuil pour décanter de façon progressive le désinvestissement affectif et orienter le projet vers l'objectif que l'on définit comme réel. Pour étayer ce dernier point, prenons l'un des principes présents dans l'élaboration de la clinique Jean-Talon, soit celui de l'horizontalité. Ce concept n'est pas sans s'inscrire dans un «illusoire» autogestionnaire. Il est révélateur, à notre avis, que l'on refuse de parler d'autogestion pour axer le discours de l'horizontalité. Autogestion est ici synonyme de perte de pouvoir hiérarchique, de chaos, d'anarchie, etc... On préfère à cela la responsabilité individuelle plus facile à identifier et à contester. Cela nous apparaît particulier au milieu psychiatrique où la pratique clinique amène une certaine horizontalité (comment différencier de façon nette les limites des interventions thérapeutiques suivant les catégories d'intervenants?) mais où l'on base le clivage hiérarchique sur la détention d'un savoir. Le groupe composant la clinique Jean-Talon nous semble partagé entre ce désir d'horizontalité créatrice et le besoin hiérarchique normalisant et sécurisant pour l'individu entre ce désir d'un partage affectif collectif et la peur d'être anéanti par le projet en perdant son identité.

Le processus de vieillissement des groupes ou des organisations repose en partie sur l'abandon du mythe initial pour une hiérarchisation dans un sens d'efficacité mais aussi d'un meilleur contrôle de l'affectivité. Toutefois, dans les grandes institutions, on recherche les moyens de remotiver les gens à les restructurer, particulièrement les cadres que l'on veut associer au projet collectif. Donc, recherche d'une implication par les affects d'appartenance à l'entreprise. Tout le défi de l'innovation de la clinique Jean-Talon repose sur ce dilemme : comment développer une appartenance à un projet collectif avec l'investissement affectif nécessaire, comment concilier le mythe fusionnel aux nécessités individuantes du milieu, comment se donner un sens thérapeutique en fonction de la population à qui on offre ce service?

LE SENS THÉRAPEUTIQUE

a. *L'équilibre (tendance à) individuation-fusion.*

Dans notre société basée sur la liberté individuelle et la libre entreprise, la notion d'individuation est essentielle à l'organisation sociale et économique. Nous pouvons cependant identifier les secteurs où, si l'aspect fusionnel n'est pas encouragé, il n'en est pas moins toléré. On le permettra dans la religion, le sport et l'appartenance politique. On y fera appel dans les situations de crise : sécurité nationale, xénophobie nationaliste ou effort collectif lors des situations détériorées par une trop grande liberté individuelle (lutte à l'inflation).

La société libérale tolère aussi en son sein des groupes plus fusionnels à condition qu'ils soient marginalisés (coopératives, sectes religieuses, groupement artistiques, ...). La stratification sociale donne droit à des pratiques fusionnelles. On peut penser, entre autres, à l'esprit corporatiste particulièrement développé chez des groupes tels que médecins, avocats, ingénieurs, qui jusqu'à tout récemment, ne devaient rendre compte qu'à leur pairs.

Si, à l'inverse, on examine des sociétés plus axées sur le collectif, on note une tendance contraire à faire appel à l'individuation pour créer un certain équilibre. La société yougoslave pourrait être en ce sens un exemple intéressant. Après avoir développé une structure auto-gestionnaire globale, on réintroduisit un secteur privé (hôtellerie, commerce) puis des mesures de productivité (primes au rendement) lorsque l'on perçut un phénomène de démobilisation générale. En parallèle, on retrouva au niveau du discours un durcissement de l'idéologie spécifiques.

Il nous semble que nous retrouvons, dans différents contextes sociaux, une dialectique fusion-individuation en perpétuel mouvement et en situation constante d'équilibre relatif. Le contexte social n'a pas été sans imprégner l'approche psychiatrique et, en ce sens, le développement de techniques faisant appel en partie à l'apport fusionnel n'est pas sans inquiéter certains praticiens. Nous devons cependant nous interroger sur les possibilités des unes et des autres, sur leur applicabilité à des populations soit non individuées soit carencées sur les plans de la scolarisation, du language et de la capacité à mentaliser.

b. *La thérapeutique psychiatrique*

1" *La poussée d'individuation*

Si la tendance analytique prit, au début du siècle, une allure révolutionnaire, elle s'intégra bien vite aux structures en place pour connaître l'essor qui fut le sien. Et cette réussite ne fut possible, pensons-nous, que parce qu'elle véhiculait les mêmes valeurs de fond que la société qui lui donna naissance (individuation). Le sens thérapeutique modelé sur la perspective sociétaire est très grand mais il est en même temps, de façon paradoxale, celui qui induit l'intensification de la pathologie mentale pour les structures qui ne peuvent y correspondre. La tendance individuante excessive affaiblit la structure fusionnelle communautaire et fait émerger en déséquilibre toutes les structures non individuées soutenues antérieurement par la cohésion du réseau.

2" *L'asile fusionnel*

Face au débordement de ces pathologies et à la culpabilité intolérable induite par leur présence souffrante, on construit d'abord des lieux asilaires qui soulageront par leur fonction d'éloignement et permettront de façon minimale un vécu fusionnel possible. Le développement des communications et la remise en présence dans la cité du contact avec la folie réveillent la vieille culpabilité et amènent la nouvelle horde de thérapeutes à réinvestir l'être non individué pour lui donner notre sens.

On remplace le dessèchement des lieux asilaires ancestraux par de nouveaux lieux relationnels que l'on espère plus féconds. Ce sont les thérapies à long terme des psychotiques. Le résultat est relativement décevant. L'investissement est énorme, la réussite individuante rare. Ce sont de nouveaux asilés ou réseaux à deux qui permettent parfois un support et un maintien précaire au sein des réseaux externes, souvent un vécu affectif humain plus riche même si peu fonctionnel. On développe une mythique de la fusion et de la mort. La conception des valeurs positives fusionnelles est mise très à distance et, le plus souvent, même pas appréhendée.

3" *L'asile individué*

Toute la société s'imprègne en parallèle des mêmes valeurs. On agit sur le groupe, on l'imprègne de clivage. On le structure sur un modèle projectif, à base de boucs émissaires. La famille perd son sens dans le morcellement des destinées individuantes à outrance. La régulation des contrôles sociaux s'impose de façon externe, desséchante. On se met à l'asile de l'autonomie. Les structures conflictuelles sont abhorrées, désensibilisées de leurs affects. On psychotise la gestalt en la morcelant. L'agressivité ne peut y être vécue que sous le signe de la destruction et de la mort. La connaissance est biaisée au moyen d'une culpabilité constamment remise à l'individu dans l'idéalisation de son sens, nouvelle topique «d'illusoire» à dissimuler sa relativité pour l'en rendre responsable par la suite et annuler ainsi ses forces vives dans son non-sens finalisé.

c. La structure bivalente de fonctionnement à privilégier.

Nous postulons l'importance d'une dynamique individuation-fusion en équilibre (dialectique) en relation avec la santé psychique des individus et des sociétés. La pratique culturelle utilise ces forces, la réalité clinique nous place face à cette évidence. La situation de thérapie individuante ne se conçoit que pour celui qui en a la potentialité. L'action sur le réseau et sa revitalisation dans le sens du corps et des forces fusionnelles nous semble la démarche la plus cohérente autant pour l'épanouissement des structures non individuées que pour la rentabilité de l'action psychiatrique et sa réussite fonctionnelle.

CONCLUSION

Ce manuel se veut un condensé de concepts de base pour ceux qui s'intéressent à une approche psychobiosociale intégrée. Il n'existe, à notre connaissance, aucun autre ouvrage qui offre un tel type d'intégration, qui lie individualité et collectif en les mettant en relation avec le corps, avec l'esprit, son équilibre et à ses distorsions. En ce sens, il touche aux intérêts de plusieurs catégories de professionnels et d'étudiants.

Sciences sociales (sociologie, service social...)
Sciences humaines (psychologie, communication...)
Sciences de la santé (médecine familiale, psychiatre...)

Les concepts qu'il développe vont au-delà de la psychiatrie usuelle qui se confine dans ses perspectives à l'unité individuelle (corps et / ou esprit), voire à l'interaction d'unités. En ce sens, la psychiatrie ne se donne pas un véritable accès à la dimension sociale de l'homme. De fait, son approche, malgré des essais communautaires, finit toujours par s'aménager au niveau somatique ou, à la limite, à la psychée individuelle. L'antériorité de la socialité sur le processus individuant ouvre seule une compréhension structurelle intégratrice globale.

Ce manuel veut sensibiliser, à travers son approche, ses applications et ses exemples cliniques à une autre dimension perceptuelle. En ce sens, il constitue un ouvrage de consultation et de référence à toute démarche ou questionnement sur l'impact relatif de la mobilisation humaine, le malaise, la normalité et le déséquilibre. De par son origine au sein d'une communication interdisciplinaire, il fournit un vocabulaire commun qui permet de relier les expressions phénoménologiques de plusieurs sciences complémentaires. Ce qui est généré du tissu humain procède d'une même dynamique ancrée dans sa matrice, son schème, dans les éléments même de sa texture.

Il constitue une réflexion sur le sens de l'intériorité et de la relation humaine. L'appréhension paradoxale qui s'échappe d'une approche de système réaménage une fluidité négentropique dont les limites plus structurelles forgent une quête, par polarité bien sûr, d'une dissolution énergétique à teinte nirvanique (ou fusionnelle). Si le désir a trouvé son écho dans le mythe œdipien, sa relativité ou son illusoire ouvrent une duperie dans l'historicité que la conscientisation contemporaine ne peut que reconnaître. C'est le mythe de Philamon tel que le développe Jean Marcel dans son dernier roman, *Hypatie ou la fin des dieux:* la pétrification du corps est le prix d'une lucidité historique qui ne peut être. L'entropie, de par sa dissolution inhérente, porte un courant énergétique à même d'échapper à cette limite d'une conscience enclavée dans sa forme perceptuelle.

L'écologie humaine est d'abord celle d'une existence commune de survie. Son adaptation au réel contingent et au sien propre forge une stabilité fondamentale qui est la mesure même de cette potentialité de survie. Cette structure en est une d'équilibre, de fluidité paradoxale et ne peut ouvrir en elle-même sur la question du sens. Sur ce maintien social s'aménage le développement cognitif et, évidemment, c'est par pléonasme que se fait alors la jonction du sens (redondance cognitive). L'entropie nourrit la connaissance ou conscience mais est-ce au sein d'une pulsation plus vaste qui, à son terme écologique, regénérera l'univers en reformant la matière de sa saturation énergétique cyclique?

REMERCIEMENTS

Il va de soi, suite à ce traité de psychiatrie sociale, que toute créativité doit énormément au milieu où elle éclot. L'appropriation que nous pourrions faire des concepts élaborés est un artéfact car ils sont issus de l'évolution du milieu. Même si nous ne les avions pas élaborés, d'autres l'auraient fait de toute façon (ou peut-être est-ce déjà fait sans que nous en soyons informés). Plusieurs de ces idées sont déjà texturisées dans certaines modalités (pulsion mimétique de René Girard, les paradoxes avec Watzlawick...)

Les remerciements que nous formulons sont adressés en première redevance à toute la communauté internationale qui, à travers le développement de l'information, nous a imprégnés de toute la richesse des potentialités humaines: du désir de l'occident au nirvana de l'orient, de la révolution religieuse iranienne à la violence économique américaine, de la psychanalyse aux lobotomies, des aménagements de pouvoir aux effervescences du processus vie-mort inhérent à l'humain. Nous citerons: Capra F., De M'Uzan, Girard R., Illich Y., Castaneda C., Laborit H., Levi-Strauss C., Toynbee A., Watzlawick, Winnicott...

À un second niveau, le cheminement du Québec contemporain, son mouvement nationaliste et la remise en question des valeurs (de la religion à l'affirmation féministe...), nous ont marqués profondément dans le vécu de notre moi-soi, de la fluidité des identités qui nous forgent et nous asservissent. Nous voulons nommer certains compagnons avec lesquels ce bouleversement et ce questionnement s'est vécu: S. Bourdeau, J. Desormeaux, R. Tremblay, B. Simard, J. Costicella, S. Plamondon, M. Jean, C. Nadeau, L. Dubé, C. Boisvert...

Dans la démarche proximale à ce livre, nous avons déjà cité les lieux expérientiels où cette réflexion s'est élaborée. Nous voudrions aussi mentionner divers amis ou compagnons de travail qui, d'une façon ou d'une autre, ont eu un impact sur la production de ce livre: P. Cousineau, C. Lebel, O. Petitgrew, D. Belotte, L. Edisbury, F. et A. Lévesque, J. Sullivan, P. Gagné, C. Bourgeois, D. Doucet, G. Lampron, J.M. Paquette, L. Prud'homme, Y. Lacroix, P. Létourneau, C. Lord, L. Fleury, L. Boudreau, D. Laflamme, L. Lecourt...

Enfin, nous devons remercier ceux avec qui la diffusion est la plus grande, les gens de notre intimité et de nos appartenances: les parents (sur plusieurs générations mais surtout les plus près), les familles anciennes et nouvelles, nos conjointes et nos enfants avec lesquels la pulsation fusion-individuation est en constante vitalité.

RÉFÉRENCES BIBLIOGRAPHIQUES

Adler, Alfred — Le sens de la vie — Éd. Petite Bibliothèque Payot.

Alexander, Frantz — La médecine psychosomatique — Éd. Petite Bibliothèque Payot.

Alexander, F.G., Selesnick S.T. — Histoire de la psychiatrie — Éd. Armand Colin.

Angelergues-Anzieu-Boesch-Brès-Pontalis-Zazzo — Psychologie de la connaissance de soi — Éd. Presses Universitaires de France.

Backès-Clement, Catherine — Levi-Strauss — Éd. Seghers.

Baechler, Jean — Les suicides — Éd. Calmann-Levy.

Baladier, Georges — Sociologie des Mutations — Éd. Anthropos.

Barthes R. et collaborateurs... — L'analyse structurale du récit — Communications, 8 Éd. Seuil.

Bastide, Roger — Sociologie des maladies mentales — Éd. Flammarion.

Bateson, Gregory — Vers une écologie de l'esprit — Éd. Seuil.

Battelheim, Bruno — Les enfants du rêve — Ed. Robert Laffont.
— Les blessures symboliques — Éd. Gallimard.

Bergeret, Jean — La dépression et les états limites — Éd. Payot.
— Psychologie Pathologique — Éd. Masson.
— La personnalité normale et pathologique — Éd. Dunod.

Bouthoul, Gaston — Les structures sociologiques — Éd. Petite Bibliothèque Payot.
— Variations et mutations sociales — Éd. Petite Bibliothèque Payot.

Brodeur, Claude, Rousseau, Richard — L'intervention de réseaux — Éd. France-Amérique.

Bronckart, J.P. — Théories du langage — Éd. Pierre Mardaga.

Caillois, Roger — Instincts et société — Éd. DeNoel-Gonthier.
— Les jeux et les hommes — Éd. Gallimard.

Capra, Fritjof — Le temps du changement — Éd. DuRocher.

Castaneda, Carlos — Voir: Les enseignements d'un sorcier Yaqui — Éd. Gallimard, Témoins.
— Histoires de pouvoir — Éd. Gallimard, Témoins.
— Le feu du dedans — Éd. Gallimard, Témoins.

Castel Françoise, Castel Robert, Lovell Anne — La société psychiatrique avancée — Éd. Grasset.

Chambart de Laune, Paul-Henri — Pour une sociologie des Aspirations — Éd. DeNoel.

Champagne-Gilbert, Maurice — La famille — Éd. Leméac.

Charon, Jean-E. — L'esprit et la science — Colloque de Fès Éd. Albin Michel.
— L'esprit et la science 2: Imaginaire et réalité — Colloque de Washington Éd. Albin Michel.

Chasseguet-Smirgel J. — Travaux scientifiques — Hors publication.
— L'idéal du Moi — Éd. Tchou.
— La sexualité féminine — Éd. Petite Bibliothèque Payot.

Chaunu, Pierre — La mémoire et le sacré — Éd. Calmann-Levy.

Chomsky, Noam — Le langage et la pensée — Éd. Payot.

Cooper, David — Psychiatrie et antipsychiatrie — Éd. Seuil.
— Mort de la famille — Éd. Seuil.

Copans J., Tornay S., Godelier M. Backès, Clément C. — L'anthropologie: science des sociétés primitives — Éd. E.P., Le point de la question.

Deleuze Gilles, Guattari Félix — L'antiœdipe — Éd. de Minuit.

De M'uzan — Travaux scientifiques — Non publiés.

Diel, Paul — Le symbolisme dans la mythologique grecque — Éd. Petite Bibliothèque Payot.

Disertou Beppino, Piozza Marcella — La psychiatrie sociale — Éd. ESF.

Durand, Daniel — La systémique — Éd. Presses Universitaires de France.

Durkeim, Émile — Le suicide — Éd. Presses Universitaires de France.
— De la division du travail social — Éd. Presses Universitaires de France.

Duverger, Maurice — Introduction à la politique — Éd. Gallimard.

Eliade, Mircea — Aspects du mythe — Éd. Gallimard.

Ellenberger, Henri F. — Les mouvements de libération mytique — Éd. Quinze.

Evans, Richard — Entretiens avec C.G. Jung — Éd. Petite Bibliothèque Payot.

Foucault, Michel — Surveiller et punir — Éd. Gallimard.
— Histoire de la folie à l'âge classique — Éd. Gallimard.

Foudriane, Jan — La folie qu'on enferme — Éd. Flammarion.
Freud, Sigmund — De la technique psychanalytique — Éd. Presses Universitaires de France.
— Le rêve et son interprétation — Éd. Gallimard.
— Métapsychologie — Éd. Gallimard.
— Moïse et le monothéisme — Éd. Gallimard.
Galbraith — Le temps des incertitudes — Éd. Gallimard.
Girard, René — Mensonge romantique et vérité romanesque — Éd. Grasset.
— La violence et le sacré — Éd. Grasset.
— Des choses cachées depuis la fondation du monde — Éd. Grasset.
Grand-Maison, Jacques — Nouveaux modèles sociaux et développement — Éd. Hurtubise HMH.
— Le privé et le public — Éd. Leméac.
— Stratégies sociales et nouvelles idéologies — Éd. Hurtubise HMH.
Guillaume, Paul — La psychologie de la forme — Éd. Flammarion.
Hartmann, Ernest — Biologie du rêve — Éd. Charles Dessart.
Hecaen H., Lanteri-Laura G. — Les fonctions du cerveau — Éd. Masson.
Herskovits, M.J. — Les bases de l'anthropologie culturelle — Éd. Petite Bibliothèque Payot.
Hochmann, Jacques — Pour une psychiatrie communautaire — Éd. Du Seuil.
Illich, Ivan — Énergie et équité — Éd. Seuil.
— Le chômage créateur — Éd. Seuil.
— Une société sans école — Éd. Seuil.
— La convivialité — Éd. Seuil.
— Libérer l'avenir — Éd. Seuil.
— Le genre vernaculaire — Éd. Seuil.
— Némésis médicale — Éd. Seuil.
Jacobson, Roman — Essais de linguistique générale — Éd. de Minuit.
Kohler, Wolfgang — Psychologie de la forme — Éd. Gallimard.
Kohut, Heinz — Le Soi — Éd. Presses Universitaires de France.
Laborit, Henri — L'homme et la ville — Éd. Flammarion.
— Éloge de la fuite — Éd. R. Laffont.
— La colombe assassinée — Éd. Grasset.
Laing, Ronald D. — La politique de la famille — Éd. Stock.
— Soi et les autres — Éd. Gallimard.
Laing R.D., Cooper D.G. — Raison et violence — Éd. Payot.
Lalonde P., Grunberg F. — Psychiatrie clinique: approche contemporaine — Éd. Gaétan Morin.
Lamoureux, H., Mayer Robert, Panet-Raymond Jean — L'intervention communautaire — Éd. St-Martin.
Lapassade, Georges — La bioénergie — Éd. Universitaires, psychothèque.
Laxénaire, M. — La nourriture, la société et le médecin — Éd. Masson.
Lemaire, Dr. J.G. — La relaxation — Éd. Petite Bibliothèque Payot.
Levi-Strauss, Claude — Anthropologie structurale — Éd. Plon.
— Anthropologie structurale deux — Éd. Plon.
Lervin, Kurt — Psychologie dynamique — Éd. Presses Universitaires de France.
Lorentz, Konrad — L'envers du miroir — Éd. Flammarion.
— Évolution et modification du comportement — Éd. Payot.
Lowen, Alexander — La Bio-énergie — Éd. du Jour TCHOU.
Maisonneuve, Jean — Introduction à la psychosociologie — Éd. Presses Universitaires de France.
Malher, Margaret — Psychose infantile — Éd. Petite Bibliothèque Payot.
Marcuse, Herbert — Éros et civilisation — Éd. Seuil.
Marks, Isaac — Traitement et prise en charge des malades névrotiques — Éd. Gaétan Morin.
Mendel, Gérard — La révolte contre le père — Éd. Payot.
Morin Edgar, collaborateurs — L'unité de l'homme — Centre Royaumont pour une science de l'homme) — Éd. Seuil.
Moscovici, Serge — Introduction à la psychologie sociale — Éd. Librairie Larousse.
Mucchielli, Roger — Analyse existentielle et psychothérapie phénoméno-structurale — Éd. Charles Dessart.
Nacht, Dr. S. — Le masochisme — Éd. Petite Bibliothèque Payot.
Paulus, Jean — La fonction symbolique et le langage — Éd. Dessart et Mardaga.
Perls Frédérick, Hefferline Ralph E., Goodman Paul — Gestalt thérapie — Éd. Stanké.

Piaget, Jean — L'équilibration des structures cognitives — Éd. Presses Universitaires de France.

Polack J.C., Sabourin D. — La borde ou le droite à la folie — Éd. Calmann-Lévy.

Reeves, Hubert — Patience dans l'azur — Éd. Québec Science.

Reich, Wilhelm — La fonction de l'orgasme — Éd. L'Arche.

Richard, Gaston — Les comportements instinctifs — Éd. Presses Universitaires de France.

Riesman, David — La foule solitaire — Éd. Arthaud.

Ruffié, Jacques — De la biologie à la culture — Éd. Flammarion.

Rioux Marcel, Martin Yves (études choisies et présentées par) — La société canadienne française — Éd. Hurtubise HMH.

Satir, Virginia — Pour retrouve l'harmonie familiale — Éd. France-Amérique.

Schaff, Adam — Langage et connaissance — Éd. Seuil.

Schumacher, E.F. — Small is beautiful — Éd. Contretemps / Seuil.

Searles, Harold — L'effort pour rendre l'autre fou — Éd. Gallimard.

Stoetzel, Jean — La psychologie sociale — Éd. Flammarion.

Szasy, Thomas — Les rituels de la drogue — Éd. Payot.

Todd, Emmanuel — La troisième planète — Éd. Seuil.

Toynbee, Arnold — L'histoire — Éd. Elsevier Séquoia.

Valla, J.P. — L'expérience hallucinogène — Éd. Masson.

Varenne, Dr. G. — L'abus des drogues — Éd. Charles Dessart.

Von Uekkull, Thure — La médecine psychosomatique — Éd. Gallimard.

Watzlawick, Bateson, Birdwhistenz, Goffman, Hall, Jackson, Scheflen, Figman — La nouvelle Communication.

Watzlawick P., Helmick, Beavin J., Jackson D. — Une logique de la communication — Éd. Seuil.

Watzlawick P., Weakland J., Fisch R. — Changements, paradoxes et psychothérapie — Éd. Seuil.
— Sur l'interaction — Éd. Seuil.

Weil, Simone — L'enracinement — Éd. Gallimard.

Widlocher, Daniel — L'interprétation des dessins animés — Éd. Pierre Mardaga.

Winnicott, D.W. — Jeu et réalité — Éd. Gallimard.
— Processus de maturation chez l'enfant — Éd. Payot.
— L'enfant et sa famille — Éd. Petite Bibliothèque Payot.

Lithographié au Canada
sur les presses de
Métropole Litho Inc.